Agent

nowa
proza
polska

Manuela
Gretkowska
Agent

Świat Książki

Wydawca
Agata Pieniążek

Redaktor prowadzący
Katarzyna Krawczyk

Redakcja
Sylwia Bartkowska

Redakcja techniczna
Lidia Lamparska

Korekta
Ewa Grabowska
Maciej Korbasiński

Świat Książki
Warszawa 2012

Weltbild Polska Sp. z o.o.
02-103 Warszawa, ul. Hankiewicza 2

Księgarnia internetowa: Weltbild.pl

Skład i łamanie
Akces, Warszawa

Druk i oprawa
CPI Moravia Books s.r.o.
Brnenská 1024, CZ-69123 Pohorelice

ISBN 978-83-7799-920-2
Nr 90088378

I

– Tam chyba coś jest. – Hanna trafiła łyżką na grudę w kremowym ciastku podanym przez kelnera.

– Niemożliwe – uśmiechnął się Szymon.

– Z czego ty się cieszysz? Bo wyszło na twoje, Hilton byłby lepszy? – Dziabnęła ciastko mocniej i odsunęła z obrzydzeniem talerzyk.

W opustoszałej restauracji bezczynna dyskotekowa kula zamiast lusterkowych lśnień rozsiewała kurz. Kelner w wyświechtanym garniturze stał przy panoramicznym oknie wychodzącym na miejską plażę Tel Awiwu. Jego odświętna mina i pobłażliwy spokój Szymona – Kochanie, sprawdź... – utwierdziły Hannę w przekonaniu, że byli w zmowie.

Odłożyła ślizgającą się po czymś łyżkę. Palcami wydłubała z ciastka oblepione kremem pudełeczko.

– No wiesz... – Otworzyła wzruszona.

Wysypała na dłoń kolczyki. Zachwyciły ją misternie oprawione brylanty i spryt męża. Kiedy on zdążył przekupić kelnera? Zrozumiała, dlaczego upierał się na kolację w Hiltonie. Miał już wszystko przygotowane, a ona tuż przed wyjściem zmieniła rezerwację. Czterdziestą rocznicę ślubu chciała sentymentalnie świętować nad morzem. Dokładnie przy tej samej plaży, gdzie się poznali.

– Nie marzyłam...

– Najbardziej błyszczący szlif Princessa, pasują ci do oczu.

– W moim wieku do oczu pasują łzy. – Otarła je serwetką.

– Nie mów tak. – Pocałował jej pięść zaciskającą kolczyki. – Przymierzysz? – Podziwiał swój zakup: ośmiokątna symetria, maksymalna liczba fasetek: sto czterdzieści sześć. Szymon, informatyk, nabierał pewności wśród cyfr i konkretów.

Hanna odpinała z uszu rubiny w odcieniu swojej szminki. Zdejmowała je powoli, patrząc na Szymona zalotnie, jakby robiła striptiz twarzy.

Pierwszy brylant, trzydziestoczterofasetkowy szlif Mazarina, wyjątkowy, niemal granatowy w platynowym pierścionku, dostała od męża na trzydzieste czwarte urodziny. Wprowadził wtedy na giełdę swoją firmę komputerową. Po wrześniowym krachu stracili dostatnią emeryturę. Zaczęli oszczędzać. Drogie kolczyki to dowód dźwigania się z klęski. I żywotności Szymona usiłującego nadrobić straty. O ile nie kupił prezentu na kredyt... W każdym razie chciał Hannę olśnić. Brylanty były szyfrem ich miłości i depozytem.

– Princessa. Moja princessa – zachwycił się, gdy wpięła kolczyki. – Najlepszym przyjacielem dziewczyny – zanucił – są brylanty.

– Nie, mój drogi. Najlepszym przyjacielem jest mąż ofiarujący brylanty.

– Marilyn Monroe miała kilku mężów.

– Mnie jeden wystarczy.

– Chamuda – szepnął, odsuwając Hannie kosmyk włosów za ucho – Chamuda.

To było najczulsze imię. Wymawiał je, gdy się kochali. Nazwał ją tak pierwszy raz przez pomyłkę, nie znając hebrajskiego. Przyjechał do Izraela w latach sześćdziesiątych poznać ciotkę, jedyną ocalałą z rodziny. Przedpołudnia spędzał na telawiwskiej plaży, niedaleko jej domu. Upał, morze oddychało wilgotnym błękitem. Rozkładał ręcznik w pobliżu studentek medycyny. Uczyły się do egzaminu. Wymieniały nazwy anatomiczne. Szymon znał łacinę z przemyskiego liceum. Zdawał ją na maturze tuż przed wyjazdem. Na plaży zapamiętywał hebrajskie tłumaczenia słów, zmieszane ze śmiechem dziewczęcej prowokacji. Studentki, zerkając na niego, kremowały sobie opalone ramiona i nogi. Podwijały jednoczęściowe kostiumy kąpielowe aż po zakola jasnych pośladków. Zawstydzony swoim podnieceniem, zapamiętał: *pita, mamma* – sterczący sutek w kształcie ust nadstawionych do pocałunku. Wypatrzył go pod mokrym stanikiem rudej. Obejmowała delikatnymi palcami duże piersi, *szadaim, papillae,* i podtrzymujący je mięsień.

– Znasz ją? – zapytał dzieciaka kręcącego się przy studentkach.

Mały handlował na plaży ciepłą oranżadą. Rozumiał angielski i wiedział, o którą z czterech dziewczyn chodzi, najładniejszą.

– Chamuda – rozmarzył się, wyciągając od Szymona kilka monet więcej.

– Chamuda – powtórzył Szymon, przekonany, że słyszał to imię na „Cha" w rozmowach studentek. – Dzień dobry, Chamuda – powiedział, przechodząc koło jej koca.

Hanna nie dowierzała.

Od kilku dni obserwujący ją nieśmiały chłopak powiedział „Ukochana"?

Koleżanki roześmiały się wzgardliwie i pobiegły kąpać. Zostali sami.

– Skąd jesteś? – zapytała.

– Polska.

– Hanna.

Nie chciała mówić po polsku, chociaż to był jej pierwszy, dobrze znany język. Przyłożyła do zapiaszczonego torsu jego spoconą rękę. Oparła wskazujący palec w zagłębieniu szyi, pod jabłkiem Adama.

– *Loa, gutter* – powtórzył wyuczone słówka, pragnąc jej zachłannymi oczami dziecka.

Nacisnęła nad obojczykiem pulsującą mu od emocji tętnicę doprowadzającą krew z serca prosto do głowy.

– Szymon – powiedział, jakby domyślił się własnego imienia.

Delikatny i mocny, oliwkowo śródziemnomorski, podobał się jej. Po latach jeszcze bardziej mężczyzna, który wyrósł z tamtego chłopca. Niedawno zaczął siwieć. Mroźne igiełki na skroniach zapowiadające chłód śmierci dodały mu straceńczego uroku. Przez wiele kobiet mylonego ze smutkiem. Dzięki niemu mogły wreszcie być pożyteczne. Męskość jest przecież rodzajem schorzenia, trzeba się o nią troszczyć. Mężczyźni szybciej umierają, zostawiając po sobie wdowy gotowe pouczać mężatki albo je zastąpić. Ale Szymon potrzebował tylko jej – była o tym przekonana. Czterdzieści lat udanego małżeństwa dawało pewność. Lokatę solidniejszą od brylantów.

– Państwo Golberg. – Kelner otworzył szampana. – Moje gratulacje. – Przypomniał sobie o zapaleniu świecy.

– Ile ty mu zapłaciłeś, że on cię zna? – zapytała porozumiewawczo.

– Drobiazg. – Podnosząc kieliszek, przeliczył w pamięci koszt prezentu i kolacji. – Drobiazg w porównaniu... – Zakreślił krąg obejmujący stolik, Hannę, ich nieprzeliczalne na nic uczucia.

Kelner chciał przyłączyć się do toastu *Lechajem* (Za życie).

– Za nas – uprzedził go Szymon.

Hanna podniosła swój kieliszek. Jej ciemnobrązowe oczy, zbyt szeroko rozstawione w szczupłej twarzy, przypominały melancholijno-bezczelne spojrzenie starzejącej się Susan Sarandon.

Świadoma tego nosiła jak ona półdługie fryzury, podkreślała grubą kredką opadające powieki.

– Do kogoś jesteś podobna – mówili nowo poznani. – Nie jesteś spokrewniona z tą rudą, no wiesz, amerykańską aktorką?

Lubiła Sarandon za jej zaangażowane człowieczeństwo. Hanna, wychowana przez komunizujących rodziców, założycieli Neot Mordechaj, jednego z pierwszych kibuców w okolicy wzgórz Golan, miała społecznikostwo we krwi. Z domu Lippman, postąpiła zgodnie z zasadami rodziny: zamiast prywatnej praktyki wybrała gorzej płatny etat w szpitalu. Po przejściu na emeryturę leczyła za darmo, dla przyjemności.

W torebce miała jeszcze przeterminowane bloczki recept i bony okazyjnych zniżek dodawane do gazet. Zbierała je od jedenastego września, gdy zaczęli tracić oszczędności. Pamiętała głodowe wspomnienia rodziców, ich wojenne kartki żywnościowe. Kolekcjonowanie bonów zniżkowych dawało jej poczucie własnej walki o przetrwanie. Wydobyła spośród nich dzwoniący telefon.

– Właśnie pijemy z tatą szampana. – Odstawiła pusty kieliszek.

Sądząc po ożywieniu Hanny, zanosiło się na dłuższą rozmowę. Zniecierpliwiony Szymon wstał. Poszedł popatrzeć przez okno wielkości kinowego ekranu. Coraz wyższe fale zbierały z chmur szarą pianę zwisającą nad horyzontem.

– Dzięki za pamięć, Miriam, i gratulacje. – Hanna wreszcie zamknęła słuchawkę w torebce.

– Dodzwoniła się ze średniowiecza?

– Nasza córka zaprasza na ślub – powiedziała uroczyście, ozdobną czcionką weselnych zaproszeń.

Szymonowi słowa „ślub" i „córka" zachrzęściły kieliszkami zdeptanymi pod chupą na szczęście. Od tego momentu, od telefonu Miriam, będzie musiał chodzić po tłuczonym szkle.

– Też sobie wybrała moment. – Zraniony udawał obojętność.

– Chyba najlepszy. W końcu może brać z nas przykład, tyle lat razem... – Potarła brylant na czerwieniejącym płatku ucha.

– Jesteś pewna? – ironizował. – Ortodoksi uznają nasze małżeństwo? Nie wiem, czy ślub rabina z rabinem byłby dla nich wystarczająco *koszer*.

– Cokolwiek myślimy, trzeba robić dobrą minę. – Hanna dawkowała lekceważący spokój.

Uważała rozmowę za skończoną. Popiła ciastko kawą. Jedzenie należało zjeść do czysta. Obowiązki spełnić bez niepotrzebnych ceregieli. Dyskretnie oblizała okruszki starte z talerza palcem. Nie było w tym łapczywości. Raczej instynkt kotki dopasowanej do własnej natury, a więc natury świata. Jak kotka odchowała z poświęceniem Miriam. Odkarmiła jej talenty. Wady wylizała tak, że błyszczały mocniej od cudzych zalet. Hardość nastolatki stała się uporem w trenowaniu sportu, młodzieńczy egoizm granicą dla nałogów wyniszczających znajomych. Miriam potrafiła o siebie zadbać. Zamknięcie w Mea Szearim, ortodoksyjnej dzielnicy Jerozolimy, nie było tym najgorszym, co mogłoby się jej przytrafić. Hanna pamiętała reportaż Miriam zafascynowanej wolontariuszami w indyjskim leprozorium. Lęk, gdy po powrocie znalazła na opalonej skórze córki białą plamę.

– Mamo, to nie trąd, to od mezuzy.

– Uderzyłaś się?

Mezuzę przybija się dość wysoko. Szymon i Hanna, ateiści, nie mieli jej przy swoich drzwiach.

– Nosiłam na sobie w Indiach, zrobiłam z niej naszyjnik. – Miriam bywała skrajna w ekstrawagancjach, ale to nie był prowokacyjny wygłup: kolczyki w nosie czy brwiach. – Nawróciłam się. Za dużo cierpienia.

Hanna nie pytała czyjego. Cierpienie Miriam nałożyło się na cierpienie, które pojechała zwiedzać do Indii. Oni też na swój sposób próbowali je w sobie ukoić po śmierci Saula.

Szymon założył słoneczne okulary. Przyglądał się zachodowi słońca dobrze widocznemu z restauracyjnego okna.

– Wolę popatrzeć na coś ładnego niż na, na tego...

Przypomniał sobie, co ostatni raz w chwili wściekłej szczerości wysyczał o futrzanym pejsaczu – przyszłym

11

zięciu: „Pizda z profilu!". Hannę wtedy poniosło, więc postanowił milczeć.

Piegowata, zielonooka Miriam była dla Szymona wszystkim. I mogła być wszystkim, czego zapragnęła. Tylko nie wymarzoną córką. Dawną, śliczną i pyskatą, pachnącą cygarami, bekającą piwem dla zrobienia na nim wrażenia. Wygrała mistrzostwo Izraela w maratonie. Uwielbiała nurkować. Ledwo skończyła studia, chcieli ją w Microsofcie. Samotnie zwiedzała Indie, jej reportaże drukowały europejskie gazety. Po wojsku szalała na Goa i pustyni Negew, organizując z kochankami narkotyczne tańce do księżyca. Mogła, jak każda inteligentna żydowska dziewczyna, napisać książkę. Zostać analitykiem giełdowym albo rządową hakerką. Zakochać się w jakimś wspaniałym mężczyźnie. Cieszyć się życiem, a nie zakutana w chustę opowiadać, że Bóg jest ważniejszy od orgazmu.

– Nie ja się żenię. – Szymon od nagłego nawrócenia Miriam był przygotowany na to, co nieuchronne, ortodoksyjny ślub. – Mnie tam być nie musi, wystarczy, że zapłacę. – Zawczasu przemyślał odpowiedź...

– Nie zrobisz tego. Ona czeka. – Hanna położyła na czarnej torebce dłoń z pomalowanymi czerwono paznokciami.

– Później, dobrze?

– Dla ciebie nie ma później, znam cię. – W jej niskim głosie niecierpliwość ocierała się o warkot gniewu. – Nie pójdziesz na ślub jedynego dziecka?! – Sięgnęła po ostateczny argument.

Po czymś takim słowa oporu stawały się zbyt kruche. Szymon pluł nimi z pobladłej twarzy.

– Nie pójdę. – Wytarł usta, rzucił serwetką. – I wiem,

kim jestem – przywołał ich ostatnią awanturę o Miriam. –
Kutas ze mnie, tak?

– Kutas to zaszczyt. Ty jesteś antykutas! – Wycelowała
w niego odpiętym kolczykiem.

Szymon wstał, potrącając krzesło z marynarką. Nie odwrócił się za powstrzymującą go bez przekonania Hanną.
Machnęła ręką, jakby wyprawiała go w drogę, bardziej na
pokaz przed zobojętniałym kelnerem. Goście przy odleg-
łych stolikach byli zajęci sobą.

Podniosła marynarkę. Miał prawo rozpaczać, nie lito-
wać się nad sobą. Był w tym okrutny rys egoizmu. Ona
umiała się powstrzymać, stąd ich kłótnia. Wiedziała, ile
kosztowało go nawrócenie się Miriam, jej ucieczka do Jerozolimy. Póki nie wyszła za mąż, nie urodziła dzieci, nie
wszystko było stracone. Szymon planował przekazać córce
firmę. Uszczęśliwić ją po swojemu. Miriam wzięła od niego
tylko upór i powtarzaną przy każdym sukcesie receptę na
szczęście: „Wiedzieć, czego się chce, czego nie i ile jest się
gotowym za to zapłacić". Realizowała ją po swojemu.

– Zapłacić za kolację. – Hanna otrzeźwiała.

Z wewnętrznej kieszeni marynarki przerzuconej przez
krzesło wystawał portfel Szymona. Najpierw pomyślała,
że umyślnie zostawił go na widoku dla niej. Kłótnia zatykała mu emocje, zabierała słowa, ale nie panowanie nad
sytuacją. Niczego nigdy nie gubił, nie zapominał. W największym wzburzeniu pamiętał o przełożeniu do spodni
kluczy, telefonu. Było to jednym z jego dziwactw. Dlaczego teraz miało być inaczej?

Normalnie odliczyłby jej tylko pieniądze, nie porzucał
portfela. Jeszcze przed chwilą szedł wzdłuż plaży. Nie zawrócił. Podeszła do panoramicznej szyby zaniepokojona

jego zniknięciem. Od miesiąca brał nowe leki, nie pokłócili się bardziej niż zazwyczaj, spacer go uspokajał – błyskawicznymi kalkulacjami próbowała namierzyć położenie, stan Szymona wskazujący, gdzie i dlaczego teraz może być. Przeszukała portfel, wysypując drobne na stolik. Klimatyzowaną ciszę sali przerwał brzęk monet.

Nad tarasem łopotały białe płachty. Jedna z naprężonych, podtrzymujących je lin pękła. Szymon ogłuszony hukiem fal przystanął w drzwiach restauracji. Owinęła go zerwana szmata. Nie mógł się spod niej wydostać. Więziła ręce, oklejała twarz. Walczył pod całunem przyciskanym przez wiatr. Wyrwał się i pchany podmuchem trafił na brzeg. Łatwiej mu było iść po mokrym piasku. Prawie biegł. Nawet nie zauważył, kiedy potrącił chłopca, właściwie wpadli na siebie. Mały miał tak zrozpaczoną minę, że wyglądał jak dorosły. Karzełek z buzią dziecka. Uciekał przed rozzłoszczoną babką.

– Stój! – Dopadła go. – Mówiłam ci, stój!

Sznurek zaciskający jej czarny kaptur był obramowaniem złej bajki, z której wychylały się zrośnięte groźnie brwi i rozszerzone krzykiem usta czarownicy. To, co trzymała szponami, było zamierającym protestem. Spazmatyczne drgawki nóżek, sine piąstki wymachujące z dziecięcego skafanderka.

Cała moc kilkuletniego ciała skupiła się w spojrzeniu śledzącym pomarańczowy samolot porwany przez morze. Przygniatały go fale, rwał wiatr.

Szymon ocenił odległość i swoją szansę. Zdjął buty, skopał spodnie, wbiegł do zimnej wody. O tej porze roku mało kto miał odwagę pływać. On ratował nadzieję chłopca, nie zabawkę. Piana podrzuciła poszarpany ogon samolotu. Wystarczyło przebrnąć przez mieliznę, żeby przybliżyć go jednym zamachem muskularnych jeszcze ramion. Obejrzał się, czy nie odszedł za daleko od brzegu. Natychmiast zawrócił na plażę.

– Widzisz, mówiłam, nie da się! – wrzeszczała staruszka nad dzieckiem.

Szymon złapał rozrzucone w pośpiechu buty. Ustawił je równo na piasku. Poprawił czubki czarnych mokasynów, by stały równolegle, co do milimetra. Wskoczył z powrotem do morza. Teraz musiał płynąć za oddalającym się samolotem. Stracił cenne sekundy. Jednak nawyk poprawnego ułożenia butów, chociaż butów, był silniejszy od mocy morza pochłaniającej pomarańczowy plastikowy punkcik.

Nie próbował sobie nawet wyobrazić, co by było, gdyby nie poddał się swojemu natręctwu. Tak został wychowany: buty idealnie równiutko, ubranie w kostkę. Wychowany to za duże słowo. Wychowuje się dzieci. On zamiast dzieciństwa miał tresurę w zakonie, żeńskim. Pochylały się nad nim siostry w czarnych welonach podobnych do czarnego kaptura babki chłopca. Małego Szymona wtedy nikt nie bronił. Nie było przed czym, przecież żył, najważniejsze. Wziął głęboki oddech i zanurkował. Wyciągnął nadłamany samolot.

Chciał go podać czekającemu na brzegu chłopcu. Zabawkę zabrała babka, wytarła ją o kurtkę. Odeszła szybko, bez podziękowania. Mały wywinął się z jej mokrej dłoni. Biegł na oślep. Przytulił się do drżącej z zimna, ociekającej nogi Szymona.

– Wracaj! – Staruszka szarpnęła dzieckiem. – Niech pan go puści!

– Ale ja... – Szymon bezradnie podniósł ramiona nad chłopcem ściskającym jego udo.

– Wariat – powiedziała z przestrachem, zabierając wnuczka. – Wariat i zboczeniec.

– Wariactwo – zgodził się z nią Szymon, siedząc samotnie na plaży.

Robiło się ciemno. Miejsce, skąd wyłowił samolot, zamieniało się w topiel.

– Ona też musiała być nieźle *meszuge*. – Trząsł się z zimna. – Brać dziecko na spacer w taką pogodę!

Nadchodziła inna *meszuge* z rozwianym rudym włosem. Przerażona Hanna zdjęła niewygodne szpilki. Z pończoch poszarpanych przez kamienie i muszle wystawały pomalowane na czerwono paznokcie. Obmywane wodą błyszczały krwisto niby skrzela morskiego stwora splątanego sieciami.

– Szymon! – Uklękła przed nim w piachu. – Nic ci nie jest? Człowieku, co ty wyprawiasz?! – Pomagała zdjąć przemoczoną koszulę.

Z lekarską wprawą dokonała szybkich oględzin i zmierzyła puls, otuliła marynarką.

– Chciałem tylko... – próbował tłumaczyć swój bezsensowny wyczyn.

Nie wiedział, skąd się wziął impuls pchający go do wody. Z jego własnego, nigdy niezaspokojonego dzieciństwa? Łatwości, z jaką można uszczęśliwić dziecko? Nagłego poczucia winy?

– Nie powinnam, przepraszam. – Paznokciami przeczesała mu ociekające wodą włosy. – Coś wymyślimy. –

Całowała go po przymkniętych powiekach. – Kochanie, proszę, przepraszam.

Szymon nie otwierał oczu. Wolał, żeby nie zobaczyła w nich niczego ponad to, w co sama wierzyła.

Hanna trzaskała szufladami. Za kwadrans podjedzie taksówka.

– Do cholery, gdzie to jest?! – Szukała biżuterii w komodzie.

Jej weselnej kreacji brakowało tylko złotego łańcuszka. Przerzucała jedwabne bluzki, zapomniany tu kiedyś stetoskop, pocztówki z Miami, otwarte paczki cukierków. Były jej słabością. Cukier rozpuszczony na podniebieniu przenikał do mózgu. Zalewał go słodyczą imitującą słodką lepkość seksu.

Leki antydepresyjne brane przez Szymona od paru lat osłabiły jego potencję. „Lepiej niech będzie przy mnie długo niż we mnie krótko". – Hanna pocieszała siebie w podobny sposób jak kiedyś żony pacjentów po zawale.

Nie rezygnowała jednak ze świętowania zdarzających się okazji. Nadal kupowała pikantną bieliznę. Nie tyle co dawniej, nie było jej stać. Polowała na przeceny w butikach Victoria's Secret, Chantal. Odwiedzane przez nią sklepy były burdelami zmysłowości. Zanurzała dłonie w jedwabnie oślizłych stanikach. Kobiety, młode i dojrzałe, sprawdzały rozmiary sznurowanych gorsetów, skąpych majteczek. Przymierzały je do siebie. Rozciągały wkładanymi od środka dłońmi, jakby zawczasu rozwierały własne ciała przed mężczyznami, którym się w nich pokażą.

Hanna wyjęła z worka swój francuski kostium odświeżony w pralni. Sprawdzając przy otwartym na ogród oknie, czy dokładnie usunięto plamy, pomyślała o nieskazitelnej bieli sukni panny młodej, jej wykwintnej bielizny. Czy Miriam, filigranowo zgrabna Miriam, włoży potem coś innego niż ortodoksyjne barchany? Czy Aron zobaczy ją kiedykolwiek nago? W dzień nie wolno im się kochać, nocą zapalać światła. Mają tylko trafiać w prokreacyjne otwory. Zdawała sobie sprawę, że natrętnie powracające myśli o seksie przysłaniają o wiele większy niepokój.

Oznaki nadchodzącej paniki. Już przelewały się refluksem do ust. Hanna usiadła, poluzowując ramiączko nowego stanika. Specjalnie za mały wpijał się, dając jej dawne poczucie seksownej obfitości. Biust znowu wyciskał się z dekoltu. Tuszowała tym niewinnym trikiem upływ czasu. Wkładane nocą globulki hormonalne odmładzały ją od środka, nawilżając pochwę. Za dnia, bez miękkiego światła lamp i świec, skóra marszczyła się, brzydła. Starość była czymś naturalnym, tak jak uczucia. Nie należało się ich wstydzić, a jednak...

Hanna wyłączyła radio grające krzykliwą muzykę. W kuchni obok rosyjska sprzątaczka, Karina, słuchała swojej stacji, zamaszyście zmywając podłogę.

Do pracowni nie dochodziły hałasy. Szum kilku komputerów wyciszał domowy rozgardiasz. Ekrany migotały, przerywając swój elektroniczny letarg. Półnagi Szymon w czarnych lakierkach i spodniach od smokingu odczytywał nazwy leków z plastikowych buteleczek. Przybliżał je przed zsuwające się mu okulary.

– Cardiac. – Popił pastylkę sokiem wyciśniętym wprost do ust z przekrojonej pomarańczy. – Witaminy, żeń-szeń, dwie dziennie. – Posmakował i połknął garść tabletek. – Prozac. – Potrząsnął butelką.

Uruchomił komputerowy kalendarz, żeby odliczyć osiem biało-zielonych kapsułek. Powinien je połknąć od poprzedniej niedzieli. Wsypał tabletki do koperty zaadresowanej na jego firmę. Pakunek wylądował w koszu pod biurkiem. Przysypał go starymi wydrukami. Komputer kobiecym głosem przypomniał: „Jutro, dwudziestego czwartego maja, trzynasta, wylot, Polska, trzynasta trzydzieści czasu lokalnego...".

– Gdzie?! – Hanna wbiegła do kuchni.

– Złoty łańcuszek? W szafie, na półce widziałam. – Karina podniosła się z podłogi. Rumieniec na okrągłej twarzy podchodził aż pod skośne, przekrwione z wysiłku oczy.

Jej nieudolny hebrajski potrzebował wsparcia rekwizytów. – Żelazko. – Podniosła je ze stołu. – Żelazko. – Podsunęła Hannie.

– Daj mi spokój z tym żelazkiem. I mówiłam ci, zmywaj w rękawicach!

– Sprzątanie to nie operacja.

– Gdzie jest łańcuszek? – Hanna wyłączyła radio trzeszczące rosyjskim rockiem.

Muzyka nadal grała. Spojrzały zdziwione na drzwi pracowni. Hanna otworzyła je gwałtownie. Światło wdarło się do zaciemnionego pokoju, odsłaniając nagie plecy Szymona przecięte pasem elektrycznej gitary.

Przeżywał uniesienie, grając solówkę razem z ekranowym Claptonem. W lakierkach i smokingowych spodniach odpowiednich do filharmonii był półnagą gwiazdą rocka słaniającą się przy morderczych riffach. Machał głową, omiatając biurko nieistniejącymi piórami. Odmłodniały przypominał chłopaka z koncertowego zdjęcia przypiętego na korkowej tablicy nad komputerem. Gdyby nie kolor, można by je pomylić z młodzieńczą fotografią Szymona. Te same zrastające się brwi nad drwiącymi oczami i zagłębienie w mocno zarysowanym podbródku. Chłopak, otoczony ramieniem wytatuowanego kumpla z kapeli, miał zgnieciony cylinder, spod niego wystawały brązowe loki.

– No, nie... – Hanna zebrała już w sobie siłę.

Była podwójnie odpowiedzialna, za męża i siebie.

– Ubieraj się, ale już! Chcesz koniecznie, żebyśmy się spóźnili... jak się zdecydowałeś, to przynajmniej nie sabotuj.

– Testuję program. – Posłusznie wypiął gitarę z komputera. – Przyszło zamówienie.

– Gdzie twoja koszula? Karina!

– Ja chciała najpierw wytłumaczyć. – Sprzątaczka zaplotła sobie sznur żelazka wokół chudej, żylastej ręki. – Ja musiała naprawić, szkoda wyrzucać. Zanim się zapali, trzeba przekręcić o tu, bo faza – patrząc prosząco na Szymona, przeszła na rosyjski. – Wymieniłam prostownik.

– Nie rozumiem, nieważne, wyprasowałaś białą koszulę? – Zamiast alarmu ewakuacji Hanna okręciła się na obcasach i by dotarło do wszystkich, uruchomiła najbardziej władczy ze swoich tonów: – Za pięć minut wychodzimy!

*

Karina wróciła do kuchni.

– Szymon, nie zapomnij o prezencie. – Hanna została w drzwiach pracowni.

Przetarł chusteczką spocone czoło.

– Prezent. – Pogardliwie podrzucił kopertę wypchaną banknotami. – Przyda się, kasa zawsze się przyda, ale Miriam pewno bardziej ucieszyłby wujek albo dziadek cadyk z Leżajska. To przez twoją rodzinę ma nawiedzone geny. U mnie sami normalni, właśnie tacy wywalczyli ten kraj dla nierobów...

– Bohater! – Miałeś tu jedną ciotkę i kuzynów, przyjechałeś na gotowe – dokończyła w myślach. Przynajmniej dzisiaj nie da się wkręcić w bezsensowną dyskusję, kto jest winien nawróceniu Miriam. – Po co ci ta panama? – Zdziwił ją kremowy kapelusz ułożony na smokingowej marynarce.

– Pamiątka. – Kupił ją podczas pierwszego wyjazdu do Miami.

Nie pozwalał Miriam jej nosić. Uparła się, że chce panamę ojca, żadnej innej. Czuła się w niej ważna i seksowna. Wypychała kapelusz od środka swoimi gęstymi włosami, żeby nie spadał na nos.

– Chyba tego nie włożysz? – Hanna prosiła w ten sam sposób co Szymon córkę wybierającą się w jego panamie na amerykańską randkę.

– Będziesz mnie lepiej widzieć, jedyny jasny punkt w czarnym morzu chałaciarzy. – Włożył kapelusz.

Nie warto kłócić się o drobiazgi. Odpuściła mu ekstrawagancki strój. Przecież dał się przekonać i pójdzie na ślub, reszta... bez znaczenia.

– Ile? – Zajrzała do koperty.

– Sama przelicz. Z tego będą żyli, z zasiłkowych „prezentów".

– Żebyś nie powiedział w złą godzinę, my też kiedyś możemy wylądować na zasiłku.

– Hanka, nie bądź śmieszna...

Jej emerytura, firma Szymona nie spychały Golbergów z grzędy klasy średniej. Kryzys nie zmienił im porządku dziobania dóbr, chociaż je nadwyrężył. Mieli mały dom w dobrej dzielnicy Tel Awiwu. Zawsze stać ich było na sprzątaczkę.

Karina przychodziła od roku. W Rosji była inżynierem.

Ben Gurion mówił, że Izrael zostanie zwykłym krajem, gdy będzie miał własne prostytutki i złodziei. To już dawno się spełniło – uważał Szymon. Prostytucja i złodziejstwo wszędzie, zwłaszcza w rządzie. Ale żeby Izrael się dorobił bezrobotnych inżynierów? O tym Ben Gurion nawet nie marzył.

– Gorąca. – Karina powachlowała wyprasowaną koszulą, zanim dała ją włożyć Szymonowi.

– Przerobiłaś żelazko na laser czy co? – żartował, zapinając jeszcze ciepłe guziki.

Poprawiła mu kołnierzyk.

– Mam swoje sposoby.

Chciała go dotknąć, poczuć sprężystość pleców. Brakowało jej mężczyzny. Mąż umarł w Irkucku, nie miał jeszcze pięćdziesiątki. Żyłby dłużej, gdyby nie pił? A gdyby mniej oddychał? Fakirzy przedłużają sobie życie, wstrzymując oddech. Widziała to w telewizji. Dają się zakopać i po tygodniu ożywają. Mąż Kariny się zahibernował. Po pijaku zamarzł. Nie doszedł z budowy do domu. Dobry człowiek, kochał dzieci. Jaki by nie był, ona nie pozwoliłaby obcej kobiecie prasować jego koszul. Na Syberii to wiedzą. Sąsiadka jej powiedziała, miejscowa. W koszuli zostaje zapach mężczyzny. Żaden proszek, szorowanie mydłem go nie zniszczy. I na kobietę może paść urok. Prasując, nie da się nie oddychać. – Nie wdychać feromonów? – zastanawiała się Karina nad parującą od żelazka koszulą. Czuła bardzo męski zapach Szymona. Jakby spocił się przy niej.

– Okna trzeba umyć. – Odsłoniła kotary w pracowni.

– Przyjedziemy jutro wieczorem, zdążysz – mówił po polsku.

Czasem dodawał wracające mu jak słowa prawie zapomnianej piosenki śpiewne rosyjskie wyrazy. Podobny akcent miała Urszula, jego ulubiona zakonnica, Ukrainka. Śpiewała kołysanki. Jedyna, która go przytulała. Ukradkiem. I rozpieszczała chlebem posypanym cukrem.

Pod nieobecność Hanny Szymon wdawał się z Kariną w pogaduszki. Lubił ją, najbardziej ze wszystkich, które przewinęły się przez dom.

– Na wesele jedziesz. – Karina zgarnęła z biurka śmieci. – I się nie weselisz?

– O co ci chodzi? – Sądził, że nie zrozumiał.

– Boże, jakbym ja się cieszyła, gdybym za mąż moją Olgę wydała.

– Zależy za kogo.

– Czego brakuje twojemu zięciowi?

– Ortodoks.

– Znaczy się żyd, nie pije, nie łajdaczy się i w Boga wierzy. Czego więcej chcieć, skoro ona go kocha?

– Karina, nie po to kształciłem dziecko, nie po to ją wychowałem, żeby siedziała zamknięta w domu i prała, gotowała fanatykowi. To ma być życie? Rodzić pieczarki? – Wyobraził sobie przychodzące co roku na świat blade,

23

pejsate twarzyczki swoich wnuków. Zagonionych do chederu, gdzie będą ślęczeć nad księgami.

– Mają hodowlę pieczarek? – Karina z podziwem słuchała Szymona.

Nie chciało mu się tłumaczyć, dlaczego chmary wyblakłych dzieci chałaciarzy w kapeluszach kojarzą się mu z plantacją grzybów.

– W Boga trzeba wierzyć, nie tak mocno może – zawahała się, rachując swój bilans dziesięciu przykazań, pulsujący ostrzegawczym światłem przy „Nie pożądaj..." – ale bez Boga ani rusz.

– Bez rozumu, Karina, bez rozumu nie można. Ona ma taki talent... jest szybsza ode mnie. – Stukał o blat biurka palcami, naśladując zawrotną prędkość uderzania w klawisze komputera. – Co ją czeka? Cerowanie skarpetek, miotła i szmata. I to u kogo? On jest bez wykształcenia, żadnej porządnej szkoły, tylko mamrocze te swoje...

Zdał sobie sprawę, że obraża Karinę. Ona też miała studia.

Policzki sprzątaczki poczerwieniały, pochyliła się niżej nad wycieranym biurkiem. Szymon, nie wiedząc, co powiedzieć na swoje i jej usprawiedliwienie, zaczął porządkować już ułożone papiery.

– Miriam nie musi. Ty znajdziesz lepszą pracę, w twojej sytuacji to co innego – mówił cicho, nasłuchując odgłosów z głębi mieszkania zapowiadających nadejście Hanny.

– Dla dziecka wszystko zrobisz, Olga w Rosji nie miałaby przyszłości, żadnej... dzieci są najważniejsze. Sprzątanie nie najgorsza robota, wierz mi...

– Tak, dzieci są najważniejsze. – Szymon wyprostował się i powtórzył, by usłyszała go trzaskająca drzwiami żona: – Najważniejsze.

Hanna była już na schodach, gdy on w swojej panamie i smokingu poprawiał jeszcze rozrzucone pod drzwiami buty. Ustawił precyzyjnie swoje kapcie, wyrównał do nich klapki Hanny. Zawahał się przy rozchodzonych i bezkształtnych pantoflach Kariny. Próbował nadać im fason. Wyprofilować czubek, od którego dałoby się mierzyć odległość. Musiałby na to poświęcić więcej czasu. Więcej, niż starczyłoby Hannie cierpliwości.

Przetrzymał błogosławieństwo pod chupą, podrzucanie państwa młodych na krzesłach. Aronowi wczepionemu sztywno w siedzisko podskakiwały przy tym sznurkowe *cycyjot* wystające spod koszuli.

– Im więcej tych frędzli, tym lepiej. – Znał tę szczególną ambicję zięcia.

Ich liczba świadczyła o pobożności. Szymonowi kojarzyły się ze zwisającymi kablami komputerów. Ortodoksi podłączali się nimi do serwera, zostawiając własny umysł na pendrive'ach. Ładowali bity informacji i talmudycznych komentarzy, żeby odpaść w ekstazie.

Szymon miał wreszcie za sobą ojcowskie przekazanie Miriam w ręce męża – niedomyte łapska Arona. Zazwyczaj niedomyte, bo tym razem rytualnie je przed ślubem wymoczył. Wydłubał brud spod paznokci. Skąd u niego te czarne obwódki? – zastanawiał się Szymon, przyjmując gratulacje od gości. Zięć nie trudził się ciężką, fizyczną pracą. Stał za ladą w sklepie tekstylnym swojego wuja. Rozwijał bele materiałów, grzecznie obsługiwał klientów i z nudów kręcił pejsy.

Czy on w ogóle widział urodę Miriam? Czy ważniejszy był odrzucany przez nią welon: z jakiego materiału go uszyto, czy zgodnie z obrzędem. Może ze szczęścia rozciągnęła usta o milimetr za szeroko? Była roześmiana, gdy z Aronem obracała się powoli w pierwszym wspólnym tańcu młodożeńców.

– *Mazel tov* – Szymon wypił kolejny kieliszek wódki. Hanna bawiła się z kobietami za zasłoną rozdzielającą salę na wesele damskie i męskie. Póki byli razem, przyglądała się mężowi kontrolnie. Z aprobatą po każdym jego uśmiechu i uściśnięciu ręki gratulującym mu chasydom.

Bez Hanny, bez kobiet nadających całemu zamieszaniu pozory normalności, Szymon był coraz rzewniej nieszczęśliwy po niewłaściwej stronie zasłony. Na obrzeżach czarnego tłumu weselników krążył dobry znajomy – Uri Fisher. W kowbojskich butach i aksamitce pod kołnierzem wyglądał na Amerykanina, bardzo niskiego Amerykanina. Miał metr sześćdziesiąt, podwyższone obcasami i specjalną wkładką. Nieudolnie się tłumaczył, że leczy płaskostopie.

Strój Fishera nie zaskoczył Szymona. Zawsze kogoś udawał. W Izraelu jankesa, w Stanach europejskiego arystokratę. Dziecięce przebieranki święta Purim trwały dla niego bez ustanku. Stać go było. Usprawiedliwiał się liźniętą gdzieś w kibucu filozofią marksistowską.

– Jestem Żydem dialektycznym, zaprzeczeniem przez potwierdzenie – przechwalał się. – Żydzi są mistrzami przystosowania. Mają mimikrę we krwi, jesteśmy urodzonymi Zeligami przetrwania. Ja też. Kto będzie podejrzewał Eskimosa na pustyni, w pięćdziesięciostopniowym upale, o żydostwo? Przeciwnie, wszyscy będą zgadywać, dlaczego trwa przy byciu Eskimosem w pełnym rynsztunku.

Na Florydzie, gdzie przez wiele lat Golbergowie spędzali z Fisherami wakacje, naśladował akcent angielskiej klasy wyższej. Ale usilnie starał się dostać do żydowskiej śmietanki. Udało mu się, gdy zainwestował w światłowody. Namawiał Szymona:

– Zostaw swoje oprogramowania, światło nie ma prawie konkurencji.

Gdyby go Szymon wtedy posłuchał. Albo przynajmniej nie wycofał pieniędzy z Izraela. Gospodarka wojenna nigdy nie bankrutuje. A on wpakował oszczędności w swój amerykański sen giełdowy.

Golbergowie i Fisherowie marzyli o sąsiadujących domach, gdzieś na obrzeżach florydzkiego Boca Raton. Skromne, wygodne domy przydałyby się latem dla dzieci i później dla nich. Emerytura w komfortowym kondominium, z odwiedzającymi ich latem wnukami, opieką medyczną na każde zawołanie...

Fisher włożył część swoich światłowodowych pieniędzy w żydowskie akcje charytatywne. Wkupił się nimi do kręgu wybranych przez słynnego Madoffa, twórcę najbardziej intratnego funduszu powierniczego. Madoff robił dobroczyńcom dobrze w zamian za to, że oni robili dobrze biednym, jesziwom, żydowskim uniwersytetom i fundacjom. Mniej zamożni wchodzili w orbitę jego łask dzięki rekomendacji. Fisher obiecał polecić Szymona. Nie zdążył. Jedenasty września zawalił amerykańską giełdę. Nie zachwiały się tylko fundusze powiernicze Madoffa. Szymon stracił oszczędności. Fisher kupił dom na Florydzie, gdzie zapraszał zubożałych Golbergów. Odmawiali.

Wakacyjne powroty do zrujnowanej przeszłości są zadeptywaniem wspomnień. Wspaniałych lat dziewięćdziesiątych, gdy obydwie rodziny wynajmowały wspólnie willę nad zatoką. Nastoletnia Miriam z warkoczykami i w podkolanówkach była prawdziwą małą Amerykanką. Prawie, Hanna nie pozwalała jej żuć gumy.

– Aparat na zęby i cukier?!

Z profesjonalną zawziętością wyliczała konsekwencje próchnicy: zapalenie mięśnia sercowego, zakażenie krwi, ropień mózgu. W obsesji Hanny na punkcie zdrowych zębów u dzieci było coś fanatycznego. Zupełnie jak u Ben Ladena, który jedenastego września zniszczył dostatnią przyszłość Golbergów. Szymon nie mógł wyjść ze zdumienia po przeczytaniu jego opasłej biografii. Liczył własnym dzieciom zęby w uśmiechu. Za pokazanie kłów chłosta.

Nie porównywał obłędu Ben Ladena z higienicznym maniactwem Hanny. Był jedynie wyczulony na pewien łączący ich rys charakteru.

Nie znosił fanatyzmu, dostrzegał jego najbardziej niewinne objawy. Na przykład chorobliwy upór Hanny, by nie używać polskiego. Wyjechała z Polski, mając siedem lat. Jej rodzice w kibucu nadal rozmawiali ze sobą po polsku. Ona zdecydowała, że nie, chociaż mówiła bezbłędnie.

– Nie, bo nie – upierała się. – Karina szybciej nauczy się hebrajskiego, a ja... gdybyś przeżył to co ja. – Wracała wspomnieniami do tej samej opowiedzianej na tysiące sposobów, nigdy niezakończonej historii: Jej najlepsza szkolna koleżanka z poniemieckiej szkoły na Ziemiach Odzyskanych przestała z nią rozmawiać. Dowiedziała się o planowanym wyjeździe Hanny do Izraela. Zabrała swoje książki i przesiadła się w inne miejsce. – Śmierdząca Żydówa – powtórzyła za rodzicami.

– Hanna, małe dziecko nie wymyśli takich słów, prości ludzie zza Buga, zastraszeni przesiedleńcy. Niepewni, czy Niemcy zaraz nie wrócą albo Żydzi się nie upomną o swoje – tłumaczył jej cierpliwie Szymon.

Do Hanny nie docierało. Zraniona przez najbliższą koleżankę, niemal siostrę, dostała gorączki.

– Oni nie musieli, rozumiesz? – Odchorowała wyjazd i zdradę. – Polacy nie musieli. Dlatego nie potrafię... Mordercy Niemcy oszaleli, wojna, ale Polacy? Ty tego nie zrozumiesz. Nikt cię nie zdradził, nie wbił noża w serce, nie najbliżsi. Kochałam Polskę po polsku, zapachy, ludzi, język... Ty ją nadal lubisz, ja swoją straciłam.

Szymon miał sentyment do katolickiej Polski. Przetrwał wojnę dzięki zakonnicom. Izrael był jego domem. Dobrze się czuł w obydwu kulturach. Nie znosił zagrażającego każdej z nich fanatyzmu. Wirusa zakażającego sprawne pliki, kasującego twardy dysk demokracji.

Był za poszanowaniem rozsądku, naturalnych uczuć, nie urojeń. Nie rozumiał maniackiego uwielbienia okazywanego nawiedzonemu rabinowi. Traktowano go na weselu z przesadnym szacunkiem. Szymon nie pretendował do bycia gościem honorowym, chociaż ojcu panny młodej to się należało.

Oszczędzono mu udziału w weselnej czarnej fali. Ortodoksi, okazując radość, podnosili się z ławek jeden za drugim jak kibice na meczu. Grali w boskiej drużynie, przeciw komu? Szymon uważał, że przeciwko sobie samym. Zwykłemu życiu.

Weselnicy w futrzanych kołpakach, poprzebierani za polską szlachtę i niemieckich przedpotopowych kupców w atłasowych kitlach, wydawali się mu paranoicznym składowiskiem kostiumów. Śmietnikiem tego, czego ludzkość pozbyła się kilkaset lat temu, godząc się na oświecenie i postęp. Nic dziwnego, że Aron ma czarne paznokcie – pomyślał o czekającej Miriam udręce – oni grzebią w śmietniku, w resztkach rozumu.

Przysiadł się do najstarszego z gości. Przy nim nie był narażony na rozmowy. Starzec zawisł nad kieliszkiem, jakby mierzył jego i swoją wytrzymałość. O tym, czy jeszcze oddycha, świadczyło unoszenie się kępki futra z czapy zsuwającej się mu na zaciągnięte bielmem oczy.

– Co?! Co? – Podskoczył od nagłego hałasu.

– Nie ma się czego bać – uspokoił go siedzący z drugiej strony pyzaty ortodoks. – Wesele, dziadku, wesele, to i huk jak na wojnie. – Napełnił kieliszki, oblizał zaślinione usta. – Talmud mówi: Wzięcie ślubu i wyprawa wojenna wymagają tej samej odwagi. Prawda?

– Odwagi? – Szymon wychylił się ze swojego miejsca. – Odwagi?! – przekrzykiwał śpiewy.

Dosłyszał go nawet starzec. Skulony ze strachu jak zgnieciona kartka, pomarszczył się jeszcze bardziej. Szymon rozpinał sobie koszulę.

– Ja wam pokażę odwagę! – Szarpał się z odpadającymi guzikami. – Dwudziestego pierwszego marca tysiąc dziewięćset sześćdziesiątego ósmego. – Odsłonił szramę pod obojczykiem. – Oblężenie Al-Karameh, piąty regiment. – Zabliźniona rana była przyfastrygowaną fałdą skóry. Ślady po niciach przecinały ją bordowym szwem. – To jest prawdziwa wojna – rzucił wyzwanie. – To jest prawdziwy mężczyzna. Nie mów mi o wojnie! – Szymon zaparł się pięściami, powstrzymując przed podsunięciem ich pod nos pyzatemu. – Wy nie znacie prawdziwej walki.

Ani miłości. Czterdzieści lat temu ożeniłem się z najpiękniejszą, najmądrzejszą kobietą, moja Hanna... – Dosłyszał jej śpiew zza zasłony. – Hanna! – zawołał trochę do niej, a trochę, żeby słyszeli go w dalszych rzędach. – Uratowała w szpitalu więcej ludzi niż was na tym weselu! Nie będę opowiadał talmudycznych bajek. – Potrącając butelki, nachylił się przez stół do pyzatego. – Nie muszę, ja znam prawdziwą wojnę i miłość.

Krążący wokół Fisher odciągnął go od przestraszonych ortodoksów zbijających się w szepczące grupki. Zakrywał koszulą rozpalonego emocjami przyjaciela.

Golberga zdziwiły wspinające się po nim obce, drobne palce zapinające guziki. Z pośpiechu wkręcające boleśnie włoski w dziurki.

– Aj! – Odepchnął Fishera.

– No właśnie. – Zależało mu na odciągnięciu uwagi Szymona. Podjął jedną z ich poprzednich rozmów. – Obiecałeś znaleźć mi kogoś w Polsce, pamiętasz? Dzieciaki prosiły o wycieczkę, zawracanie głowy, ale nie mogę odmówić. – Prowadził Szymona za rękaw w mniej tłoczne miejsce, żeby ochłonął.

– Na tym najpiękniejszym ze światów to najpiękniejsze wesele. – Ktoś, przepychając się obok ojca panny młodej, komplementował przyjęcie.

Szymon odwrócił się i spojrzał w białka wywróconych z zachwytu oczu. Wódka nie mogła tak namącić w głowach – uznał. Oni są pijani sami sobą.

Odpuściłby, gdyby nie Fisher ze swoim poczuciem wyższości:

– Tchórze – ocenił komplement bardziej lepki od chanukowych ciastek. – Najpiękniejszy ze światów. – Poprawił aksamitkę pod szyją. – Im nie wolno zastanawiać się,

31

co było przed Wielkim Wybuchem, przed naszym światem.

Do Szymona dotarło „Tchórze", reszta jak zwykle mało zrozumiałych kabalistyczno-naukowych rozważań Fishera kończyłaby się udowodnieniem jego geniuszu. Wykorzystywał ducha i materię, by odnosić nad nimi finansowe zwycięstwo. Chwilowo w światłowodach.

– Tchórze – powtórzył Szymon, popił wódką z butelki.

Schował ją do kieszeni. Zaśnionego starca odstawiono pod ścianę. Nikt go tam nie potrącał i nie ochlapywał toastami. Przy stole podśpiewywali brodaci zadowoleni mężczyźni. W identycznych kapeluszach, zgodnie kiwali głowami. Trzeźwiejsi bawili się zadawaniem sobie zagadek i popisywaniem znajomością Pisma.

– Ciekawe, czy na to ktoś znajdzie odpowiedź, hm? – Szymon stanął pomiędzy nimi.

Wtargnął nieproszony w to singerowskie badziewie. Z tym kojarzyły się mu dziecinne powiastki i zagadki. Podejrzewał, że początkiem nawrócenia Miriam była fascynacja Singerem. Zaczytywała się chasydzkimi cudownościami.

– Ja wam zadam zagadkę. – Opróżnił do dna butelkę. – Ojciec dwójki dzieci poległych na wojnie, której nie było. – Zachwiał się, rozstawił szerzej nogi. – Wiecie kto? Kto nim jest?! Ja, Szymon Golberg. Moje pierwsze dziecko, mój syn Saul był... i byłby skrzypkiem, jazzowym. W koszarach kolega do niego strzelił, wypadek przy czyszczeniu broni, brat brata... Kto z was, tchórze, był w wojsku? No kto? – Pustą butelką zatoczył po cofających się ortodoksach. – A drugie dziecko, Miriam! – krzyknął rozpaczliwie w stronę zasłony. – Też ginie na wojnie, w Talmudzie tak napisano. – Wskazał flaszką pyzatego.

– Nie dlatego, że Miriam wychodzi za mąż, prawdziwa miłość to nie wojna. Ale dlatego, że za chałaciarza, takiego jak wy! Mohel wyciął wam całe jaja i na żadną wojnę nie pójdziecie, nie?! – wrzeszczał, wymachując pustą butelką.

Zanim ktoś by go obezwładnił, Fisher wywlókł go przed dom weselny.

– Zniszczyłeś, zrujnowałeś wesele własnej córce, ćwoku! – Hanna usiadła w taksówce jak najdalej od Szymona.

– Wesele?

– Jakie by nie było, to jej święto, jej.

Słyszała od Fishera szczegóły występu Szymona. Miał mieć na niego oko, nie dopilnował. Znali się od lat, powinien wyczuć, kiedy jest słowo za dużo. Kieliszek. Jeden, nie więcej. Szymonowi nie wolno było pić, brał prozac.

– Ani wódka, ani depresja cię nie usprawiedliwią. – Rozszarpałaby idiotyczną panamę razem z nim.

Gdy ją wkładał, mogła się domyślić już w domu, że to wstęp do pajacowania. Zabawny klaun musi być żałosny.

– Wypiłem, ale smutny nie jestem. Tańczyłem, nie widziałaś. Cztery lata temu ręką ani nogą bym nie ruszył. Najlepszy dowód, że nie mam depresji i wiem, co robię.

Po śmierci Saula zapadł w otępienie. Leki nie działały, pomogły elektrowstrząsy. Gdzieś w mózgu Szymona przeskoczyła iskra i podniósł się do życia. Zajmujący się nim stary doktor Weiss, niedoszły rabin, uznał to za dowód na prawdziwość kabalistycznego tikunu. Powiastki o kosmicznej katastrofie:

Gliniane garnki, w których miał się pomieścić stwarzany świat, popękały. Nie wytrzymały mocy przechowywanej w nich świętości. Rozsypała się iskrami. Zadaniem ludzi jest tikun – naprawa świata przez szukanie w sobie tych boskich iskier. Indywidualny tikun współgra z tikunem odrodzenia kosmicznego, polegającym na odnajdywaniu boskiej mocy w popiołach i skorupach.

Miriam przejęta beznadziejnym stanem ojca przesiadywała u niego w szpitalu. Wdawała się w długie rozmowy z Weissem. Spragniona cudu uzdrowienia i cudu na znak, że Saul żyje w innym wymiarze, pożyczała od doktora kabalistyczne książki.

„Może na nią spadła ta cholerna iskra". – Szymona złościła własna słabość. Nie miał wyrazistych wspomnień ze szpitala, guma w zęby, obręcz elektrod na wyczyszczonej spirytusem skórze. – „Może przeze mnie dała się wciągnąć w zabobony, gdybym wtedy nie zawiódł, to ją przerosło".

Później nie potrzebowała od niego żadnej pomocy.

– Mam dla ciebie dobrą i złą nowinę. Dobrą, że jestem twoją córką, złą, że jesteś moim ojcem – powiedziała mu, gdy wyśmiał jej koszerne porządki w lodówce.

– Wiara to placebo. – Wypisujący go po udanej kuracji Weiss wyznał powód, dla którego zrezygnował ze szkoły rabinackiej. Znał o wiele gorsze przypadki niż nawrócenie. – Na wrażliwą Miriam mogła spaść psychoza, prawdziwe załamanie nerwowe, ucieczka w narkotyki. Ale to dzielna dziewczyna, mocna – pocieszał.

Taksówka Golbergów skręciła w stronę starego miasta. Cisza sunącego przez nocne ulice samochodu była tłem dla weselnej awantury.

– Nie mówię, że jesteś chory na głowę. – Hanna wracała do rozsądku wspartego wieloletnim doświadczeniem mężatki. – Z ciebie po prostu czasem wyłazi zwykła świnia. Czemu akurat dzisiaj? Co ci winna Miriam?

– Nie Miriam.

– Brałeś się do bicia.

– Kiepski z Fishera szpicel, on ci chyba western opowiadał, w tych swoich butach. Ja grzecznie z pejsatymi dyskutowałem, zadawaliśmy sobie zagadki.

– Wodzirej się znalazł! Teleturniej im urządziłeś? Kto nie zgadnie, tego butelką w łeb?! Proszę cię...

– Nie jesteś moim psychiatrą – przypomniał w obawie, by nie podparła medycznym autorytetem swoich pretensji.

– Znam się na tobie lepiej od każdego psychiatry.

Hanna ubrana szykownie na wesele, w drogiej bieliźnie, poczuła się lalką ozdobioną biżuterią. Prawdziwe życie, z dawnymi zapachami, smakiem, należało do innych. Zza szyby taksówki przyglądała się mijanym ulicom: światłom w oknach, pijanym turystom rozkładającym mapę na chodniku, kłócącej się parze. Dziewczyna zdjęła szpilki i rzuciła nimi w okularnika. On je pocałował w podeszwę. Hanna opuściła szybę, nadal było duszno.

– Wysiadam. Proszę się zatrzymać. – Złapała za klamkę. – Przejdę się.

– Idę z tobą. – Szymon wyjął portfel.

– Patrzeć na ciebie nie mogę. – Złość znowu wzięła przewagę nad współczuciem. – W tej źle zapiętej koszuli.

– *No problem.* – Poprawiał poprzekładane przez Fishera guziki.

– Nic mi się nie stanie, do hotelu blisko.

– Żartujesz, nie puszczę cię samej. Gdzie my jesteśmy? Podjedźmy pod Złotą Bramę. – Klepnął w fotel kierowcy.

– Daj mi się samej przejść.

– Dzielnica niby bezpieczna, mówi się... Dzisiaj pełnia i ludziom odbija. – Taksówkarz spojrzał znacząco na Szymona, który pożałował mu napiwku.

W dole, poza murami mieli zarezerwowany hotel Zion. Krócej było przejściem obok Ściany Płaczu. Minęli strażników. O drugiej w nocy było pustawo. Po męskiej stronie Ściany modlili się amerykańscy chasydzi. Spacerując i rozmawiając przyciszonymi głosami, próbowali w świętym miejscu przetrwać *jetlag*.

Szymon też chciał przetrwać tę noc. Zakończyć ją czymś więcej niż niesmakiem weselnej katastrofy. Hanna lubiła tu z nim przychodzić. Z sentymentu dla tradycji wybrali się pod Ścianę po ślubie i kiedy była w ciąży. Nie traktowali tego miejsca religijnie. To było coś, co przetrwało. Skała wynurzająca się z wysychających oceanów nienawiści, wojen. Ołtarz żydowskiego czasu.

W wojnie sześciodniowej wygrano dostęp do Ściany Płaczu. Przestała być „po arabskiej stronie". Hanna odwiedziła ją wtedy razem ze schorowanymi rodzicami. Potrzebowali dowodu, prawa do bycia na tej ziemi. Nie mówili, nie myśleli nawet w ten sposób, ale dotknięcie pozostałości świątyni dodawało im, starym ateistom, historycznej otuchy.

– Idziesz? – Szymon szukał z Hanną porozumienia. Znaku, że mu przebaczyła. Kiwnęła głową. Rozdzielili się na placu. Został, ona zawahała się przy studni. Nie wiedziała, czy do dzbanka z wodą skierował ją lekarski nawyk czystych rąk, czy chęć powtórzenia rytualnego gestu zbliżającego ją z Miriam.

Oparła głowę o chłodną Ścianę. Dwadzieścia parę lat temu przykładała do tego kremowo jasnego muru maleńką Miriam noszoną w brzuchu. Urodzenie dziecka było wyparciem się go z własnego ciała. Śmierć dziecka też rodziła się przez jej ciało. Na wiadomość o Saulu skurczyło się i wymiotowało czymś, co było nie do przyjęcia przez umysł. Nie płakała. Jeśli miała łzy, jakiekolwiek słowa bólu, rzygała nimi. Zbierały się nie mdłościami, ale porodowym, przeszywającym skurczem. Szymon, słysząc od wojskowego posłańca o śmiertelnym wypadku Saula, katatonicznie znieruchomiał. Weiss miał na to swoje wytłumaczenie.

– Twój mąż... – Doktor objął swoje łyse czoło starczo poplamioną ręką. – Twój mąż, droga Hanno, wziął na siebie Saula, jego śmierć, i stał się dla nas zmarłym, dla siebie też. To minie, potrzeba czasu, dużo czasu.

Hanna próbowała uwierzyć. Nie Weissowi i jego tłumaczeniom. Wiedziała; psychiatria w takich przypadkach jest bezradna. Próbowała uwierzyć, że Saul nie jest trupem. Czekała na jego powrót. Zmarli odwiedzali i pocieszali wierzących w życie pozagrobowe. Do niej przychodził tylko trup. Widziała go w kolejnych fazach rozkładu, z medyczną precyzją. Tą samą, z jaką obserwowała fazy jego dzieciństwa, wyrzynające się ząbki obmywane rumiankiem, pierwsze koślawe kroki.

Dlaczego nie zwariowałam? – zastanawiała się. Po rodzicach odziedziczyła wytrzymałość. Przeżyli wojnę. Trzeba mieć hart, żeby zakładać kibuc pod wzgórzami Golan. Szymon nie znał swoich rodziców. Dziadek był fotografem w Przemyślu. Podobno robił zdjęcia na dworze cesarza.

*

Zmartwychwstanie Szymona było spektakularne, niemal heroiczne. Ze spokojnego informatyka przeistoczył się w biznesmena. Wiecznie pod telefonem, między spotkaniami. Zaczął wyjeżdżać w interesach do Polski. Nadaktywnością maskował depresję. Uciekał od jej bezruchu i śmierci. Jego maniacka ruchliwość, czasem gwałtowność, były dla Hanny znośniejsze od zatrważającej apatii.

Westchnęła, pogładziła Ścianę Płaczu.

Między białymi krążkami reflektorów oświetlających dziedziniec błyszczał okrągły księżyc. „Podane na tacy księżyca" – mówiono o dzieciach urodzonych w pełnię, przypomniała sobie Hanna. Miriam jest takim dzieckiem, urodzonym podczas majowej pełni, nieprzewidywalnym i wrażliwym. Przesunęła po Ścianie palcami, żegnając się z nią.

Szymon nerwowo obmacywał marynarkę, kieszenie spodni. Był najruchliwszym z mężczyzn na placu. Inni przechadzali się dostojnie, naradzali nad czymś w skupieniu, modlili. On biegł.

– Masz kartkę i długopis? – Odnalazł żonę przy studni.

– Nie możesz wpisać do telefonu?

Rozczuliła go jej niedomyślność. – Chamuda, telefon wsadzę w Ścianę? No co ty.

Podała mu torebkę, tę samą czarną kopertówkę, dobraną do sukni na ich rocznicę ślubu. Wyjął z niej stary bon zniżkowy. Oddarł od niego niezadrukowany kawałek i szybko zapisał. Poszedł włożyć prośbę między kamienie.

Stanął wśród czarnych chałatów. Pokornie się pochylił. Dotknął chłodnej Ściany, jej nacięć. Układały się w litery hebrajskiego alfabetu, dostrzegł *bet, ajin*. Było też dużo nic nieznaczących czarnych kresek, znaków. Możliwe, żeby powstały razem z kamieniami, ile milionów lat temu? Miliardów? Przypadek czy są tu celowo? I kiedy namierzono cel? Przy powstaniu Ziemi, świata, innych fisherowskich przedświatów? Szymon rozważał prawdopodobieństwo pojawienia się w tym miejscu nie tylko Ściany, ale właśnie tam, gdzie stał, dwóch liter *dalet* i *waw*. Skalne odpryski tworzyły słowo Dawid. Zdziwił się, także sobą. Zazwyczaj nie kombinował w podobny sposób. Wpływ miejsca i okoliczności – stwierdził.

Mógł być jeszcze pijany, stąd irracjonalny strach, że jest coś, że było coś, co wszystko zaplanowało. Lepiej zatkać przeznaczeniu gardło karteczką, uszczelnić prośbą wetkniętą między kamienie.

Jeszcze ten cholerny księżyc w pełni. Zakonnice mówiły mu, że to oko opatrzności, śledzące nocą grzeszników. Dawno przestał wierzyć w dziecinne bzdury. Wzniósł się ponad nie, gdzieś na poziom bezosobowego prawa. Fatum namierzającego cel, ofiary z ludzi. Gdyby Saul nie przystanął, uchylił się o centymetr, ruszył o sekundę wcześniej, kula nie trafiłaby śmiertelnie w głowę.

– Gdzie to jest?! – Hanna rozrywała w kuchni worek ze śmieciami. – Kurwa mać!

Szymon przez moment zastanawiał się, czy nastawił program komputerowy na budzenie przekleństwami. Bawiło go montowanie podobnych składanek, w różnych językach, wykrzykiwanych przez różne osoby. Do sypialni z głębi mieszkania dochodził jednak tylko krzyk Hanny. Metaliczny głos żony pobrzękiwał pretensjami. Miała ich całą kolekcję nanizaną przeciwko Karinie. Nazbierało się od roku i pękło.

– Kurrrwa! Gdzie ona to schowała?!

– Czego znowu szukasz? – Szymon wszedł do kuchni. Po przyjeździe wieczorem z Jerozolimy zasiedział się przy komputerze i poszedł spać nad ranem. Trzeba było pozałatwiać zaległe sprawy przed tygodniowym wyjazdem do Polski. W południe miał samolot.

– Podanie o paszport wyrzuciła, wyobrażasz sobie? – Hanna była już ubrana.

– Zadzwoń do niej, może gdzieś schowała.

– Dzwoniłam. Ona nic nie rozumie, co się do niej mówi.

– Mów z nią po polsku. Hanna, zapisz się do Weissa, dobrze ci radzę, bo to zaczyna być już problem.

– Mój problem? – Potargana, klęczała otoczona stosem śmieci.

– No chyba nie mój. Według Weissa problemy zaczynają się tam, gdzie dziwactwa przeszkadzają w życiu. – Doktor powiedział to, gdy analizował jego niewinne nawyki i natręctwa.

– Ja sobie nie przeszkadzam. – Darła z wściekłością papiery. – A jej pomagam nauczyć się języka. Co tam, ona po hebrajsku też nie będzie nadawać się na sprzątaczkę, bo Karina to wielka inżynier i zawsze coś spieprzy, żeby nam o tym przypomnieć. Weiss ci nie mówił, na czym polega frustracja? Jest. – Wyjęła swoje podanie w foliowej torebce. – Niemożliwe – powiedziała. Znalazła biało-zielone kapsułki. Wysypywały się z rozerwanej koperty. – Przeholowała, to już kretynizm... gdzie jest telefon? – Podniosła się. – Więcej jej nie wpuszczę!

– Hanna, spokojnie, nie było nas w domu, nie miała kogo zapytać.

– Zapytać? O co? Że tabletek się nie wyrzuca?! Napromieniował ją Czarnobyl, czy co? Poskłada żelazko, a pigułek nie odróżnia? Skąd one w ogóle się tu wzięły? – Obejrzała dokładniej firmową kopertę Szymona.

– Liczyłem przed wyjazdem i może zostawiłem na biurku albo odłożyłem do koperty. Nie pamiętam, spieszyliśmy się. – Nie przewidział, że jego oszustwo się wyda, obciąży biedną Karinę. – Poczekaj. – Wyjął Hannie słuchawkę. – Opanuj się, kochanie, proszę.

Niespodziewanie zmiękła, objęła go.

– Wszystkiego najlepszego! – Pocałowała go w nieogolony policzek.

– Dzisiaj? – Przypomniał sobie o dacie wylotu na bilecie, była dniem jego urodzin.

– Życzę ci, żebyś mnie przeżył, sobie też. Dlatego weź to. – Podała mu prozac. – Bo chyba wczoraj nie brałeś. I na serce. Kto cię będzie w Polsce pilnował, znowu zapomniałeś. – Przeliczyła kapsułki.

– Nie zapomniałem o tabletkach. Zapomniałem, że jestem chory.

– No właśnie. – Przeszło jej rozczulenie. – Co ty wygadujesz?

Wyjęła z szuflady kredensu prostokątny, wąski pakunek zawiązany złotym sznurkiem.

– Szymon, dla ciebie.

Potrząsnął, domyślił się, co jest wewnątrz – okulary. Lubił swoje stare. Ciemna oprawka zlewała się z czernią przeciwsłonecznych szkieł. Hanna wolała go w nowocześniejszych. Przy okazji spacerów nad morzem namawiała go na nowe ray bany. „Oczywiście, gdy będzie nas stać". Odczekała do jesiennej wyprzedaży, kupiła najmodniejszy *hi-tech*.

– Miałam ci zrobić najpierw śniadanie do łóżka i wtedy... – Liczyła na czułości, może seks.

– Rewelacja. – Przymierzył przed lustrem okulary. – Dziękuję, Chamuda, bardzo. I proszę cię, nie denerwuj się, z Kariną pogadamy później, po moim powrocie. Nie chcę, żebyś znowu została bez sprzątaczki.

– Nie potrzebuję profesora do zamiatania, ani inżyniera, znajdziemy prostą babę. Będzie przynajmniej wiedzieć, po co jest kosz na śmieci.

– Spróbuj z nią mówić po polsku, ona jest w porządku.

– Daj spokój.

– Naprawdę, idź do Weissa, pomoże ci.

– Mówić? Chrząszcz brzmi w trzcinie z powyłamywanymi nogami – powiedziała ze świetną dykcją po polsku. – W czym mi pomoże, zmieni przeszłość? Gdybyś przeżył, co ja...

Właściwie mogłaby to zanucić bez słów. Wystarczyłaby sama żałobna melodia zdania wysłuchiwanego przez Szymona od lat.

– Chamuda, przeżyłem swoje i tam jeżdżę, trzeba pilnować interesu.

– Lubisz jeździć.

– Tak – przyznał z przekorą. – Bardzo lubię być polskim Żydkiem. – Fisher opowiadał jej nieraz o antysemickich odzywkach na ulicy, murach zasmarowanych swastykami i gwiazdą Dawida zwisającą z szubienicy.

– Jesteś silniejszy, potrafisz się przemóc. Ja nie, i zostawmy to.

Doceniała jego odwagę. Narażał się, jeżdżąc do Polski. Na co? Na powrót przeszłości, dla Hanny zbyt okrutnej. Przeszłość zabrała też Saula. Szymon w słonecznych okularach go przypominał. Ciemne szkła zasłaniały podsinione brakiem snu oczy.

– Ubranie na drogę w sypialni. – Poszła szybko do łazienki. Przekręciła klucz. Nie będzie płakać w urodziny Szymona. Z tęsknoty za nim, tym dawnym i teraz, już w podróży, za Saulem.

Razem z pasażerami Golberg wkładał buty, zapinał obszukane torby i przesuwał się w kolejce do kontroli. Agenci ochrony silili się na przyjazny ton przesłuchań. Została ostatnia bramka. Szymon zsunął okulary, by można mu było zajrzeć w oczy. Ostatni agent, bez munduru, w cywilnym ubraniu urzędnika, nie zadawał pytań. Jego banalna, niewyróżniająca się niczym twarz trzydziestoletniego, trochę opuchniętego blondyna miała szczególną właściwość. Włączało się mu spojrzenie. Patrzył i nagle wyostrzał swój niebieski wzrok. Zamieniał się w ludzki laser, skanując tęczówki pasażerów. Szymon czuł się przeszperany. Lotniskowy agent dostał się w nieznane zakamarki, rozwierając jego źrenice. Przypominało to badania prostaty, równie nieprzyjemne, co pożyteczne.

Przecież on chroni ludzi, wykonuje swoją pracę, i to jak. Bezdotykowo, bezgłośnie. Najczulszy aparat wyposażony w niespotykane oprzyrządowanie – inteligencję – ocenił z uznaniem.

Beznamiętną twarz ludzkiego lasera zagłębionego w oczy Golberga rozluźnił niespodziewany uśmiech. Szymon nie wiedział: przejrzał myśli o jego profesjonalizmie czy zobaczył coś więcej. Agent skupił się już na pozornie niebudzącym podejrzeń chałaciarzu, więc założył z powrotem okulary i wyjął telefon.

– Złapałem cię jeszcze – dzwonił Fisher. – Masz coś dla mnie?

Obiecał mu znaleźć kogoś do obsługi szkolnej wycieczki syna.

– Gugel będzie dobry. – Szymonowi nikt inny oprócz własnego asystenta nie przychodził do głowy.

– Skądś znam to nazwisko...

– Z internetu. – Miał przewagę nad Fisherem. – Przeglądarka Google, wszystko wie, wszystko znajdzie.

Nie załapał dowcipu w ksywie Jacka.

– Polak? Żyd?

– Człowiek – Szymon celowo użył tego słowa.

Nie popisywał się swoimi postępowymi poglądami. Światowego i marksizującego od dziecka Fishera nie dało się w tej kwestii przelicytować. Uri podpisywał petycje z żądaniem przyznania człowieczeństwa małpom naczelnym. Twierdził, że najnowsze badania prymatologów potwierdzały posiadanie przez nie rozumu na bazie samoświadomości. Szymona nie interesowały bzdety o zwierzętach. Małpa zostanie małpą, choćby miała paszport ONZ. Denerwowały go popisy Fishera przed Hanną. Tokowanie o kosmicznym Człowieku w kabale, wspólnych znajomych z Madoffem.

Szymon zamartwiał się brakiem kasy, a Fisher pokrywał jej nadmiar nietrzymającymi się ziemi bajdami. Hanna słuchała z uprzejmości i współczucia. Mina, jego druga żona, przeniosła się na Florydę pod pretekstem dbania o zdrowie. Zostawiła go z synem przed maturą. W Miami miała przyjaciela, właściciela pralniczej sieci „Laundry & Laundry".

– Nie dosłyszałem! – krzyknął Fisher w słuchawkę.

– Człowiek, powiedziałem, Jacek Grzeszczak.

– Aaa, twój człowiek.

– Nasz, jak dobrze pójdzie. Zna, kogo trzeba, i wszystko wie – reklamował Gugla. Zarejestrował firmę, przezornie umieszczając w rubryce „Zakres działań" wiele możliwości. Od produkcji konserw i wyrobów glinianych po międzynarodową wymianę usług ludzkich. Na pewno zaliczała się do nich turystyka. Pensja od Szymona była poniżej średniej. Gugel opłacał z niej wynajęcie własnego biura. Przesiadywał w nim, oczekując zleceń. Wierzył, że jego własna firma „Goliat. Biuro Polsko-Izraelskie" rozkręci się dzięki łańcuszkowi znajomości i poleceń.

– Czy on załatwi dobry nocleg, przewodników?

– Gugel załatwi ci nawet koszerne kamienie.

– Hanna wspominała o twoich interesach, masz hurtownię kamieni w Warszawie czy co? Półszlachetne? To się opłaca? Szklane kamienie?

– Szklane kamienie? – Szymon znał nonszalancję Fishera. Nie dziwił się, że dużo młodsza od niego Mina miała go dość. Mylił najprostsze fakty, jeśli nie dotyczyły jego fortuny. Golbergowie obawiali się, że to oznaki alzheimera, podobne do tych, jakie miała wiele lat temu Sara, pierwsza żona Fishera. Ale najwidoczniej mieszanie wszystkiego ze wszystkim poza biznesem przynosiło Fisherowi wytchnienie. Uznawał to wręcz za radosną twórczość umysłu produkującego nową jakość: kamienne bombki czy szklane kamienie, co za różnica.

– Kupiłem fabrykę bombek. – Szymon nie był pewien, czy już mu to mówił. – Latem jest szczyt sezonu, dlatego jadę. – Rozmawiając z Fisherem, sam zaczynał się gubić. „Mam alza czy to te cholerne leki wmuszone przez Hannę?" – denerwował się, przekładając słuchawkę i paszport.

– Aaa, kruchy pieniądz.

– Mamy i nietłukące, cuda, mówię ci, polska potęga.

Dziesięcioro ludzi pracuje u mnie za trzydziestu. Ledwo się wyrabiam, zamówienia z Ameryki, Kanady. Muszę kończyć. – Szymon wszedł do free shopu. – Wyślę ci namiary Gugla.

Wolnocłowy alkohol, papierosy, słodycze i kosmetyki są komercyjnym ostatnim życzeniem, którego się nie odmawia skazanym na drogę. Zaniża się więc ceny, by stać na nie było każdego. Szymon załadował koszyk dobrym winem i belgijskimi bombonierkami.

Przy kasie rozkapryszone bliźniaczki w identycznych sukienkach identycznym rykiem wymusiły na rodzicach wielkie cukierki. Dołożył takie same. Dla Hanny tańsze o kilkadziesiąt szekli zakupy pewnie miałyby znaczenie. Dla niego... Ciężar koszyka równoważył lekkość bycia pomiędzy tu i tam, Tel Awiwem a Warszawą.

Wypełniona zakupami plastikowa torba dawała poczucie solidności w powietrznej podróży. Niepojętym przenoszeniu się przez niebo. Skąd samolot mógł zostać strącony przez terrorystów albo z kaprysu przypadku.

Gdyby doszło do katastrofy nad morzem – przewidywał Szymon – plastikowe słoiki, butelki z free shopu wypłyną w pobliżu łodzi ratunkowych.

Nikomu niepotrzebne, ujęte dla dzienników telewizyjnych w kadr konwencji *vanité mortelle*. Gdzie *business class* dla wybranych miesza się z powszechnością śmierci w klasie wszystkich żywych.

II

– Kur... – Gugel powstrzymał się i zamienił „kurwa"
na „kurde" złagodzone inteligenckim przerywnikiem „de
facto". – Kur...de facto – powtórzył po przepchnięciu się
przez tłum na lotnisku. – Korki były, szefie, *szalom*!

Szymon musiał przywyknąć do jego wyglądu. Prze-
chylanej nerwowo głowy, jakby w obawie, że zsunie mu się
z niej twarz fachowca-męczennika od wszystkiego. I wyjdzie na wierzch ta spod spodu, ze źle dogoloną aureolą
chłopięcego wdzięku. Ubranie Gugla przypominało strój
inkasenta z lat sześćdziesiątych. Modna filcowa zadaszo-
na czapka, bo to nigdy nie wiadomo, słońce czy deszcz.
„Pogoda jest nieprzeliczalna" – mawiał znajomy przemy-
ski inkasent spisujący stan liczników w zakonie i domu
dziecka, gdzie później przeniesiono Szymona. Podobna skórzana torba, przerzucona przez ramię. U Gugla ozdobiona markową naszywką. Porządna skórzana
kurtka – przecież to prawie urzędnik. Buty wypastowane,
sznurowane, chyba od garnituru, jedyne porządne, jakie
miał.

– Szefie, magazyn pusty. – Wyprężony czekał na po-
chwałę.

Zadowoliłby się pełnym uznania spojrzeniem Szymona, ojcowskim klepnięciem w plecy. Swojego ojca prawie nie znał. Praca dla Golberga dawała mu nie tylko utrzymanie. Terminował u prawdziwego, zagranicznego biznesmena, na dodatek żydowskiego. Dzięki temu przynależał w swoim pojęciu do większej biznesowej rodziny narodu wybranego. Został przez nią adoptowany. Ojcem chrzestnym został Golberg. Pierwszym poważnym zadaniem powierzonym Guglowi dwa lata temu było wymyślenie nazwy dla otwieranej firmy bombkarskiej.

– Famous Polish Buble, w skrócie FPB. – Gugel przyniósł Szymonowi projekt papieru firmowego.

– Czemu nie Organizacja Wyzwolenia Palestyny, OWP? Też długie i wpada w ucho.

– A Polish Buble?

– Gugel, po polsku czyta się buble, bublami mamy handlować?

– W takim razie Una Bomba? – podsunął.

– Santa! Kojarzy się z Santa Claus, ze świętami – zdecydował Szymon.

– Włoską elegancją, szefie, też. Oni mają dobry design. Bombki Santa. – Podziwiał w wyobraźni projekt nowego szyldu i zdolności językowe Szymona.

Sam ich nie miał. Erudycję owszem, ale bez polotu skojarzeń. Kurdede facto wyczerpywało jego możliwości. Obwiniał o to swoje geny niećwiczone od pokoleń na Torze.

W Izraelu mówi się, że gdyby poszukać w papierach, Adam i Ewa też pochodzą z Polski. Niestety nie działa to w drugą stronę. Gugel nie znalazł przodka żydowskiego pochodzenia. Żadnego chociażby niemieckiego nazwiska brzmiącego trochę jidysz. Jego drzewo genealogiczne przypominało bardziej krzak kartofla z bulwami chłopskich dziadków i babć zakopanych w mazowieckim piachu.

– Co u ciebie? – Szymon oddał mu walizki do bagażnika.

W samochodzie unosił się zapach papierosów. Było od niego szaro, mimo że Gugel na cześć niepalącego szefa wyczyścił popielniczki. Przetarł je mokrymi chusteczkami.

– Nic nowego... matka dostała podwyżkę.

– To dobrze. Dużą?

– Pięć stów.

– Nieźle, a ty ciągle narzekasz. U nas emerytom tyle nie dopłacają.

– U nas też nie. – Mijali billboard na rondzie przy lotnisku: „Witamy w Polsce". – Czemu prawdy nie napiszą? „Witamy, kurwa, w Polsce". Podwyżkę opłat dostała. Muszę dawać pięćset więcej na dom starców. Niedługo taniej będzie wziąć do domu pielęgniarkę – biadolił. – Nie dość, że płacę, każą kupować pieluchy, mokre chustki, a to kosztuje, kurdede facto.

– Dorzucę ci pięćset od przyszłego miesiąca. – Szymon mu wierzył.

Gugel był do przejrzenia na wylot, jak jego jednopokojowe mieszkanie w biurze. Nie pomieściłby się tam ze zniedołężniałą matką. Nie mówiąc o jeszcze bardziej neurotycznej od niego nowo poznanej narzeczonej.

– Dzięki, ale... – Już znalazł następny powód zmartwień. – Niby zarabiam coraz więcej, ale nic z tego nie mam, ścigam się z domem opieki.

– Co chcesz, inflacja.

– Dobijające.

– Inflacja nas nie dobija. Ona motywuje. Do starania się więcej, do... – szukał porównań – rozwoju.

Czuł się mentorem. Nauka kosztuje – płacił więc Guglowi mniej, niż zasługiwał za pilnowanie bombkowego interesu i zajmowanie się jego wygodą krótkich pobytów w Polsce.

– Szefie... – Podał Szymonowi dużą papierową torbę wypełnioną kolorowymi pakunkami.

– Dobrze wybrałeś? – Liczył na gust Gugla i jego oko niedoszłego designera.

– Spodoba się. Gdyby coś nie tego, mam paragony, wymienią. – Uchylił szybę przed budką strażnika pilnującego podwarszawskiego osiedla kilkupiętrowych bloków.

Ochroniarz ich rozpoznał. Machnął przyzwalająco papierosem, podniósł biało-czerwony szlaban. Szymon przekraczał kolejną, tym razem prywatną granicę. Gugel wystukał kod otwierający drzwi najmniejszego z bloków, najlepiej położonego. Nie przy parkingu, pełnym dużych rodzinnych wozów i terenówek, ani nie przy nowoczesnym placu zabaw, gdzie ktoś miękko odbijał piłkę od gumowego chodnika. Tarasowe balkony wychodziły na sad. Developer oszczędził stare jabłonie. Gatunek z gałęziami rosnącymi w dół. Liście i zielone owoce dotykały trawy.

Gugel pomógł Szymonowi niosącemu pakunki przecisnąć się przez szklane wejście. Na korytarzu wyłożonym dywanem i pozbawionym okien wisiały reprodukcje prowansalskich pejzaży oprawione w złote ramy.

– To do jutra, szefie, *if you need me*. – Potrząsnął pięścią przy uchu, co miało być gestem naśladującym rozmowę telefoniczną, a zarazem dodającym otuchy, męskim pożegnaniem.

Przed Szymonem otworzyło się mieszkanie. W progu stała wysoka, młoda kobieta. Podtrzymywała siedzącego na jej biodrze chłopczyka. Połączone sylwetki matki i dziecka otaczała słoneczna poświata. Rozbłyskiwała na metalicznych stożkach imprezowych czapeczek. Jednocześnie dmuchnęli w tekturowe trąbki. Rozwinęły się z piskiem, dotykając policzków zaskoczonego Szymona.

– Wszystkiego najlepszego! – Kobieta pocałowała go w usta. – I specjalny prezent od Dawida. – Przytuliła lokowatą główkę zawstydzonego chłopczyka. – Powiedz, no powiedz.

– Tata. Ta, ta, ta – sylabizował, jakby słowa powstawały przez powtarzanie tego samego dowolnie wiele razy.

– Syneczku kochany. – Wziął go na ręce.

Przyłożył twarz do rozgrzanej buzi. Krągłość policzków dwuletniego dziecka przypominała bombki. To samo świąteczne ciepło i blask radości. Szymon wysyłał w świat tysiące bombek, dla innych. Jego nieustające święto było tutaj.

– Dorota. – Przygarnął ją. – Nareszcie. – Pocałował płowe włosy rozdzielone na dwa warkocze oplatające głowę.

Znudzony widokiem namiętnie się obejmujących rodziców, Dawid otworzył papierową torbę. Wyjął z niej pudełko przewiązane wstążką. Szymon nie wiedział, który prezent kupiony przez Gugla był dla kogo. Przed wpadką ratowała go dziecięca niecierpliwość Dawida. Darł kolorowe opakowania.

– Zobacz, jaki szybki. – W ojcowskiej dumie była zachęta do otwierania tajemniczych pudełek.

– Nic dziwnego. – Dorota usprawiedliwiała brak kindersztuby chłopca. Nie zwracał uwagi na jej szeptane „Poczekaj". – Ma to po tobie.

Słyszała od Szymona o akcjach Mosadu, w których ratował siebie i innych dzięki refleksowi. Szybkość reakcji jest wrodzona, bez niej nie można być agentem, żywym agentem. Mówił, że zajmuje się logistyką. Kieruje akcjami przez satelitę i komputer. Strzelanina, przygody są dla młodzieży. Bardzo rzadko jest w terenie.

Wierzyła mu, jednak się bała. Gdy wyjeżdżał, nie wyłączała CNN. Korespondenci podawali liczbę ofiar zamachów. Wpatrywała się w postacie na ekranie rozrzucone wokół dymiących ruin, płonących autobusów. Szukała wśród nich Szymona, kogoś podobnego wzrostem, poruszającego się jak on. Niewyraźne punkty o ludzkich kształtach rozmazywały się. On wracał do niej po dwóch, trzech miesiącach.

– Przecież wiesz, że nic mi się nie stanie, za szybki jestem na śmierć. – Przyciskając Dorotę do swojej wojskowej kurtki, miażdżył jej jędrne, mimo rocznego karmienia, piersi.

Kobiece serce biło wreszcie z ulgą w niego, nie w samotność.

– To. – Dawid otworzył pudełko i podał matce. – Ładne – pokazał językiem migowym.

Dorota, pedagog dziecięcy, nauczyła go eksperymentalnej metody „migania". Wykorzystywano ją w porozumiewaniu się z szympansami, gorylami i małymi dziećmi, których inteligencja wyprzedzała rozwój normalnej mowy. Metoda była mało znana. Z wiedzy Szymona o prawach małp człekokształtnych Dorota wnioskowała, że Mosad eksperymentował na biednych szympansach. Im bardziej Szymon zaprzeczał, cytował tylko Uriego Fishera zafascynowanego *Gorylami we mgle*, tym bardziej była o tym przekonana. Nie pytała nigdy wprost o Mosad, nie komentowała jego pracy. Szymona obowiązywała tajemnica. Rodzina Doroty uważała, że tajemnica wojskowa – był kimś ważnym w armii izraelskiej.

– Boże, jakie piękne... – Odpakowała granatowe zamszowe buty. – Włoskie. – Włożyła je przed lustrem w przedpokoju.

Szymon przeniósł bagaże i prezenty do salonu. Rozsiadł się na kanapie. Nogi oparł o drewniany podest zastępujący niski stolik.

– Zostaw – powstrzymał Dorotę przejętą, czy nie jest głodny i którą kawę mu podać. Ulubioną *latte*? Coś mocniejszego? W końcu po podróży z...? – nie dokończyła pytania. Zmęczenie Szymona, jego bezsenność lub odsypianie zaległości, prezenty i przejęzyczenia pozwalały snuć domysły, skąd wracał. Czy zmieniał strefę czasową.

– Hola, moja piękna – zawrócił Dorotę z kuchni i posadził przy sobie. – Zobacz, co dla ciebie mam. – Wziął od Dawida rozdarte pudełko.

– Skąd wiedziałeś? Dokładnie takiego potrzebowałam. – Otworzyła puder w złoconym opakowaniu.

Była zdumiona trafnością prezentu. Zabawki, idealne na wiek Dawida, pewnie doradził ktoś w sklepie. Wybrać buty też nie problem – nosiła podobne, tańsze i się zdarły. Rozmiar mógł zapamiętać, był agentem – zauważał wszystkie szczegóły. Ale puder? Właśnie się zużył i na lato potrzebowała z filtrem. Chciała kupić tej firmy. Szymon nie prześwietlał myśli... nawet gdyby szpiegowski sprzęt był już tak doskonały, nie zajmowano by się potrzebami Doroty z Piaseczna. Jej jedynym marzeniem było mieć Szymona przy sobie.

Ciągle o nim myślała. Ubierając rano Dawidka – czy wyrośnie na równie pięknego i silnego mężczyznę. Gotując obiad – co Szymon je, karmę z puszki w bunkrze, skąd kieruje akcją, czy grając Jamesa Bonda, zamawia coś z restauracyjnego menu w luksusowym hotelu. Siostra Doroty uważała, że ona nic nie robi.

– Mieszkasz u niego, ścierasz kurze i czekasz! – wykrzyczała kiedyś przez telefon. Była zirytowana pozorną wygodą życia Doroty w porównaniu z jej urzędniczą harówą.

Gdyby wiedziała, jak ciężką pracą, na dwu etatach, jest czekanie. Dźwigać ciężar własnego i czyjegoś życia. Nie mówiła o tym Szymonowi. Nie dokładała mu własnych zmartwień. Od jasności myśli, skupienia zależało wykonanie zadań agenta. Po co zawracać mu głowę? Skoro wie, który kosmetyk się przyda, pewnie zna jej najważniejsze, prawdziwe marzenie widoczne gołym okiem z Księżyca.

Szymon rozparty na kanapie przyglądał się synkowi zaplątanemu w sznurki i wstążki. Dawid przeskakiwał od jednej zabawki do drugiej. Podrzucał piłkę, puszczał po parkiecie traktory, betoniarki zestawu „Bob Budowniczy".

W letniej, kwiecistej sukience odsłaniającej ramiona Dorota przymierzała nowy szal. Szelest opakowań, jedwabiu, turkot zabawek, śpiew ptaków zza okna były dla Szymona żonglerką szczęścia. Napawał się nią, sobą pośród rozgardiaszu wzniecanego przez zachwycone dziecko i zakochaną kobietę. W Izraelu nie czuł tego, co czuje. Mówił to, czego nie myślał. Był tam u siebie, ale nie sobą, nie całkiem.

Dorotę znał od trzech lat. Tyle podobno trwa namiętność. Im uda się dłużej. Segregując bilety lotnicze, wyliczył, że byli razem, fizycznie, sto dwadzieścia osiem dni. Do pełnych trzech lat, włącznie z rokiem przestępnym, brakowało dziewięćset osiemdziesiąt siedem dni. Rozkładając strategicznie jego przyjazdy do Polski, mogli przetrwać kilkanaście lat w stanie euforycznego zadurzenia. Zakochana kobieta – kalkulował – łatwiej wybacza nieobecność i niedopowiedzenia. Nie powiedział jej prawdy pierwszego dnia, reszta była konsekwencją.

Poznali się w Kazimierzu.

– Nad Wisłą – dodawała Dorota. – Szedł bulwarem, minął mnie i znowu mnie minął, idąc tyłem.

– Niedokładnie. Najpierw zobaczyłem ją na rynku ze szkolną wycieczką. Pomyślałem, że oprowadza głuchoniemych. Jej klasa bez słowa wpatrzona w to, co im pokazywała, inne dzieciaki wrzeszczały.

– Lubiły mnie, nie musiałam krzyczeć.

– A kto by cię nie lubił, ja od pierwszego wejrzenia. Dlatego do ciebie potem zagadałem nad Wisłą.

– Powiedziałeś: „Idziemy w przeciwne strony, ale w tym samym kierunku".

– Miałem biec za tobą? Wolałem iść tyłem i patrzeć na zjawisko. Zjawisko okazało się dla mnie łaskawe.

– Byłeś zwykłym podrywaczem. A ja miałam... ochotę się zabawić. – Dała się zaprosić na kawę zauroczona młodzieńczością dojrzałego mężczyzny. Półdługie włosy, opalenizna, szczupła twarz z dołkiem w brodzie nadawały mu cudzoziemski wygląd. Mówił z ledwo wyczuwalnym nie tyle akcentem, co wahaniem, mimo że jego niski głos brzmiał pewnością.

– Tydzień potem błagałem w Warszawie o audiencję.

– Obawiałam się najgorszego...

– I słusznie. Ja też się zakochałem. – Wyznając jej miłość, skłamał o pracy w Mosadzie.

Był tajnym agentem, specjalistą od informatyki. Firma Santa to przykrywka. Udawał biznesmena. Nie udawał uczucia. Nie miało prawa się pojawić, przeznaczenie. Kiedy zaszła w ciążę, kupił apartament.

Po porodzie nie wróciła do pracy w szkole. Dawid był najważniejszy, synek i ona. Utrzymywał ich z pensji agenta. Jemu niewiele było potrzeba, ciągle w akcjach. Bazę miał w Izraelu. Dorota nie mogła go odwiedzać. Obce wywiady czyhały na taką gratkę – rodzina agenta. Groziłoby jej niebezpieczeństwo. Nie miała też możliwości telefonowania do Szymona, on dzwonił do niej, niemal codziennie. Kontaktowali się mejlami. Mosadowi powiedział, że polska „miłość" jest operacyjnym wybiegiem. Uwiarygodniała jego częste pobyty w Polsce, gdzie spotykał się z podlegającymi mu agentami Europy Wschodniej. Nie mógł się jednak ożenić. Ślub z gojką nie byłby dobrze widziany w służbach.

Gugel wypełniał rozkaz pomagania Dorocie podczas nieobecności Szymona. Był też skrzynką kontaktową w nagłych wypadkach. Oczywiście Gugel nie zawsze się mógł z nim skontaktować i nie wiedział o tajnych misjach. Należał do podrzędnych informatorów. Szymon pracował w elitarnej jednostce Mosadu. Za jakiś czas przejdzie na emeryturę i zamieszka z Dorotą. Na razie musi jeszcze pracować, szkolić młodych. Ze swoim doświadczeniem był nie do zastąpienia, nie chcą go puścić. Wywiad nie jest pracą ani służbą. Jest misją, do której trzeba mieć powołanie, jak do miłości. Szymon kocha Izrael i Dorotę, to da się pogodzić, potrzeba tylko czasu.

– Nowe? – Przymierzyła okulary od Hanny, znalezione w jego kurtce.

Oczy zasłonięte ciemnymi szkłami pozbawiały jej twarz wyjątkowości. Spojrzenia błękitu rozmiękczającego Szymona. W zamian pojawiły się rysy wspólne bezosobowemu pięknu marmurowych posągów. Greckich czy rzymskich bogiń z podręczników historii. Klasyczne piękno prostego nosa, wysokich kości policzkowych i harmonijnej linii ust na tle gładkiej skóry.

– Co za model, myślałam, że nosicie ray bany.

– Ray bany są dobre dla Gugla. Te są w nagrodę, razem z premią.

– Nie powiesz za co? – Położyła mu głowę na kolanach.

– Sam nie pamiętam, tyle tego było... – uśmiechnął się tajemniczo.

– Pokaż ile. – Podciągnęła mu koszulę.

Ukryta pod białym płótnem wdychała zapach Szymona. Mieszankę korzennego dezodorantu, potu i zmęczenia podróżą. Przesuwała palcami po bliźnie, żebrach, fałdach brzucha. Jego ciało było mapą, ilustracją pozbawioną dodatkowych objaśnień i legendy.

Za pierwszym razem, gdy kochali się w hotelu, wreszcie odzyskał wrażliwość skóry. Wchodząc w Dorotę, wracał do utraconej przyjemności, niedającej się wypowiedzieć, z czasów, gdy nie umiał mówić.

– Kiedy była przy tobie matka – zdiagnozowała Dorota.

Po studiach polonistycznych i muzycznych przeszła kurs psychologii. Bez niego nie mogłaby pracować w pierwszych klasach podstawówki. Szymon nie był pewien, na ile Dorota jest w stanie go przejrzeć. Wydawało się mu, że dobrze obwarował przed nią swoje życie w Izraelu. Nie drugie, żadnemu z nich nie przyznawał pierwszeństwa, tak jak nie kochał bardziej Doroty od Hanny. Umarł razem z Saulem i wydobył się do życia. W nagrodę, na przekór umieraniu, urodził się Dawid. Niczego nie dało się już cofnąć. Szafy mieszkania w Piasecznie miały wieszaki z marynarkami Szymona. Jego przybory toaletowe czekały w łazience.

Nie czuł się oszustem. Dba o żonę, więc jest dobrym człowiekiem, dla Doroty również. Dawid to jego oczko w głowie.

W Izraelu opłakuje Saula, w Polsce Holocaust rodziców. Smutek, wszechogarniający smutek jest jeden, jak Bóg *Szema Israel, Adonaj Echad* (Słuchaj Izraelu, Bóg jest jeden). Śmierć też pozornie jest detalistką, podobnie jak miłość. Nie wymyślił tego, oczekując na lotniskach ani podczas podróży samolotem, gdy nie mógł czytać albo spać. Tak po prostu było, musiał się z tym pogodzić. Ze wszystkim po odejściu Saula. Nadal stroił jego skrzypce. W dzieciństwie nie miał możliwości ćwiczyć. Śpiewał w chórze u zakonnic, wtedy odkryto u niego słuch absolutny. Dorota też lubiła muzykę.

Po seksie uprawiali swój muzyczny rytuał; Szymon z sypialni przyglądał się jej grającej w salonie. Naga siadała na skórzanym taborecie przy białym fortepianie.

Wolałaby elektryczną yamahę. Nie wymaga strojenia i w słuchawkach można nocą podkręcać dźwięk, nie męcząc sąsiadów. Szymon uparł się na prawdziwy, drewniany fortepian.

– Zapal światło – poprosił.

– Musiałabym zasłonić okna. – Mieszkanie było dobrze widoczne z osiedlowego skweru. – I chłodno grać – zażartowała. – Udusimy się z gorąca.

– W Izraelu mamy klimę.

– W Polsce przydaje się latem, i to nie zawsze. – Zagrała pasaż, naciskając bosą stopą pedał.

– Klimat się zmienia, tu też się przyda. Przecież mamy wiatrak – przypomniał sobie. – Mamy? – upewnił się.

Dawid z ciekawości, co jest w środku dorosłych rzeczy, psuł domowe sprzęty. Przyniosła z garderoby wentylator. Szymon nastawił go na wolne obroty, żeby nie zagłuszał muzyki. Zaciągnął kotary i zapalił światło.

– Pachelbel? Chopin? – Przeglądała nuty.

Elegancka w swojej nagości, okryta rozpuszczonymi włosami sięgającymi taboretu. Proste i jasne przypominały Szymonowi welon zakonnic. Wracały dziecinne fantazje o tym, co kryją habity sióstr. Fantazje rosły razem z dziećmi. Obrastały owłosieniem łonowym i czternastoletnich chłopców odsyłano z zakonnego sierocińca. Kościelne wychowanie nie chroniło przed grzesznymi myślami. Słyszał o ministrancie, też sierocie, podglądającym zakonnice w łazience. Przyłapany, wymiotował godzinę wszystkimi hostiami zjedzonymi od pierwszej komunii. Szymon uśmiechnął się na tamto wspomnienie.

Rozluźniony zmęczeniem obserwował ciemnoróżowy, zadarty sutek Doroty pojawiający się zza jej ramienia. Grany powolnie Kanon Pachelbela był religijnie podniosły. Długie włosy rozwiewane przez wentylator unosiły się z lekkością dymu. Blond popielate smugi układały postacie splątane sennymi historiami.

*

Miriam odjeżdżała autobusem Tel Awiw–Jerozolima. Hanna odprowadziła ją, pomijając sekwencję matczynych gestów wyrażających pożegnalną troskę. Przecierania powietrza tuż przed twarzą, żeby lepiej widzieć oddalającą się córkę. Albo drugiego sposobu machania naśladującego odpychanie. Byle szybkimi ruchami uklepać rozszerzającą się pustkę po odjeździe dziecka. Hanna nie zdecydowała się na żadne z tych zwyczajowych pożegnań. Nie patrzyła też za autobusem ani nie westchnęła tak głęboko, żeby się ugiąć i przygarbić od niepokoju. Nawet jeśli go czuła. Przecież spełniły się marzenia Miriam. Jest ze wspaniałym mężczyzną, ojcem jej przyszłych dzieci. Pogodziła się też z własnym. Nie domyślała się, ile wysiłku kosztowało zaciągnięcie Szymona na ślub.

– Tata mnie uściskał, wycałował, był przeszczęśliwy... zanim się upił.

Tyle że upił się z nieszczęścia. Tego Hanna nie dopowiedziała.

Miriam wolała pozory. Weselny tort nadmuchany kremem i wiwaty zagłuszające głos rozsądku.

Przyjechała do Tel Awiwu załatwić urzędowe sprawy, zezwolenie na otwarcie firmy produkującej części komputerowe. Zatrudniłaby kilka kobiet ze swojej dzielnicy, wykształconych i religijnych.

– Na razie to plan. – Jej entuzjazm przygasł pod koniec kilkudniowej wizyty.

Potrzebowała inwestorów, pożyczek.

– Uda się, mamo. Bóg pomaga sprawiedliwym – mówiła, obejmując się rękoma pod pretekstem zawijania wokół siebie czarnego swetra.

Hannę irytowało to naśladowanie chasydek poprzebieranych w bure, bezkształtne szmaty. Łapały poły swetrów, jakby wychylały się zza dwuskrzydłowych drzwi, z innego świata. Za nimi parujące gary, domowy rwetes, płaczące dzieciaki i mąż zajęty wyłącznie Pismem. Miriam nie da się wciągnąć w ten kierat. Hanna była o tym przekonana. Znajdzie sobie furtkę, już kombinuje. Chustka zakładana co rano, zakrywająca rude loki, jest kompresem na gorączkę. Ochłonie i wróci do... zdrowia? Nawet gdyby, nie będzie dawnej Miriam pod bliznami czasu. Hanna pogłaskała jej odsłoniętą szyję. Zaciśnięta chustka odkrywała szramę na karku – ślad po metalowej huśtawce w kibucu dziadków.

– Mamo. – Chwyciła Hannę za palce i odwróciła się do niej z nagle czerwieniejącymi policzkami.

Żarliwie dziecięco, zapominając o nowo nabytym tonie pobożnej mężatki, wypytywała:

– Naprawdę twój pradziadek był cadykiem? Cioteczny dziadek?

Hanna, powtarzając rodzinne historie, znajdowała metodę na otwarcie bramy czarnego swetra córki. Dostawała się bliżej jej serca, ortodoksyjnej dzielnicy, gdzie schroniła się Miriam.

Wracając w letnie popołudnie z dworca autobusowego, Hanna wspominała opowieści rodziców o dawnej Polsce, parę zdań o religijnych przodkach. Ubarwiała je dla Miriam. Będzie musiała wymyślać cudowne historie. Co innego połączy babcię Hannę z wnukami wychowanymi w dobrowolnym getcie?

Spociła się, bluzka oklejała jej piersi i brzuch. Przeszła na drugą stronę ulicy do stacji benzynowej. Kierowca wolnej taksówki dłubał w uchu i tym samym palcem gmerał w nosie, jakby upychał tam woskowinę. Hanna ze wstrę-

tem dotknęła klamki. „Upał roztapia najpierw brud –
pomyślała. – Potem asfalt". Podniosła obolałą nogę
w szpilce.

Kilka ulic przed domem samochód przyhamował na
czymś miękkim.

– Kot – wyjaśnił taksówkarz.

– Co kot? – Rzuciło nią do przodu.

– Przeleciał. – Spojrzał w lusterko.

Pomyślała o kotach z sąsiedztwa.

– Żyje? – Obejrzała się na drogę.

– A ja tam wiem, kot.

– Trzeba sprawdzić.

Nikomu nie chciało się wyjść z klimatyzowanej taksówki. Kierowca kaszlał i regulował radio. Hanna nie
mogła trafić napuchniętą stopą w szpilkę zaklinowaną
między siedzeniami. Włożyła buty. Jednocześnie taksówkarz ruszył gwałtownie do tyłu. Zanim wstała, on trzasnął drzwiczkami. Podciągnął szelki trzymające mu pod
opasłym brzuchem rozpięte spodnie i podniósł z asfaltu
szarego kota. Cieknąca krew rozlała się w kontur podobny do rysowanego kredą wokół ofiar wypadku.

– Ostrożnie! – Wyskoczyła z auta. – Może mieć uszko-
dzony kręgosłup.

– Albo sie ogłuch, albo nie. – Potrząsnął bezwolnym
ciałem, jakby było butelką, w której bulgocze zwierzęce
życie. Jego ostatnie krople wyparowały, pokrywając mgłą
oczy kota.

– Brudzi – ostrzegł taksówkarz Hannę wyciągającą
ręce po zdechłe zwierzę.

– Koty są czyste – powtórzyła bezwiednie ulubioną
formułkę matki, zakochanej w kotach, karmiącej każdego
przybłędę.

62

Dyszący od upału kierowca odłożył kota na pobocze. By nie umazać klamki, jednym palcem uchylił drzwi znieruchomiałej pasażerce.

– Krwi nie trzeba się brzydzić – próbował wyrwać ją z szoku.

– Wiem, jestem lekarką.

– Buch, buch, uff! – pokrzykuje Dawid nad śpiącym Szymonem.

Rączkami naśladuje pracę tłoków lokomotywy, wbijając je ojcu w bok. Wczoraj tata czytał mu: „Czarna, ogromna i pot z niej spływa".

Szymon obudził się chwilę wcześniej. Miał czas przygotować obronę. Spod zmrużonych oczu widzi przyglądającą się im Dorotę. Wyćwiczonym ruchem agenta, jeszcze niby w półśnie, wyciąga spod poduszki telefon. Spada kołdra, on złożony do strzału namierza intruza. Szukając palcami cyngla, budzi się.

– Pif-paf – cieszy się Dawid.

Z komórką zabraną tacie ucieka do swojego pokoju.

– Przepraszam, odruch. – Szymon pada na poduszki.

Celował do własnego syna. Dorota klęka w łóżku, naciągając sobie przykrótki T-shirt na pośladki. Pokrywają się gęsią skórką mimo ciepłego poranka.

– Przecież żartowałem – uspokaja ją. – Mamy z Dawidem swoje męskie zabawy.

– Wiem, wiem. – Współczująco gładzi go po czole.

Koi zszargane nerwy wojownika. Nie powtarza już głośno „Co oni z tobą zrobili". Szymon jej wytłumaczył: on broni dobrej sprawy, to świat oszalał. W CNN pokazywali chasydów nienawidzących Izraela.

– Tacy są najgorsi, wewnętrzny wróg. Ortodoksyjny odłam wspólnoty Neturei Karta (Strażników Miasta) nazywa nasz kraj pomiotem szatana. Dopiero na jego zgliszczach zbudują z Mesjaszem prawdziwy Izrael, jak stąd do Boga. A my, z naszą demokracją i nawiedzonymi chałaciarzami, zajmujemy im ziemię przodków, *haarec*. Są bardziej skrajni od irańskiej bomby atomowej, błagają Teheran o jej zrzucenie, wyobrażasz to sobie?

– Nie. – Dorota, zanim spotkała Szymona, nie wyobrażała sobie jeszcze wielu innych rzeczy.

Bycia matką. W ciąży opuchnięta, rzygająca co rano, przeżywała skoki hormonalne od łez do histerycznego śmiechu. Przestawała być sobą. Lustro to potwierdzało: zniknęła szczupła dziewczyna, z lekko asymetrycznymi, jabłkowatymi piersiami, płaskim brzuchem. Pod pępkiem, od którego blond meszek rozsypywał się w rude, kręcone włosy, pojawiła się typowa dla drugiego trymestru ciąży ciemna krecha przecinająca wzdłuż podbrzusze. Jakby miało w tym miejscu rozejść się w szwach. I wypuścić nie dziecko, ale poczwarkę, z której rozwinie się dawna Dorota. Ta przed lustrem była nie do poznania. „Kobieta – to mój pseudonim – myślała o sobie. – Archetypowa matka, same cyce. Po co mi nogi? One też powinny zamienić się w cyce do czołgania".

Wolała, żeby Szymon jej wtedy nie widział. Przylatywał raz na dwa miesiące. Napęczniała, podobała się mu coraz bardziej. Z wdzięczności i zachwytu całował ją po brzuchu. Zasypiał z głową na nim, wsłuchując się w bicie serca jej i dziecka. Od pierwszych wyników ciążowych nie miał wątpliwości:

– Chłopiec, będziemy go rozpieszczać, niczego nie

zabraknie naszemu księciu. Co ja mówię księciu, z takiej matki on będzie król, Dawid.

Szymon zjawił się dzień po porodzie. Płakał, tuląc be-. cik. Puściły mu zamrożone emocje agenta. Dorota go takiego nie znała. Roztkliwiał się nad synkiem, biegał z nim na czworaka po domu i zasypywał prezentami. Ją też, ale najcenniejsza była bliskość.

Tej nocy kochali się przy lampce z pokoju Dawida. Plastikowy duszek świecił fioletowo. Dorota siedziała na Szymonie, obejmując udami penis. Wolała obrzezany członek. Był schludniejszy, w „jednym kawałku" – objaśniała kiedyś siostrze, ciekawej seksu z Żydem. – Kwestia wieku, obrzezania, on może długo, ile chce. – Dorota wiedziała o treningach mentalnych w Mosadzie. Agentów uczono panowania nad ciałem, odruchami. Szymon był elitą...

Lubiła, gdy leżał, ona siedziała przodem do niego. Wyjmowała spod siebie penis i pieściła, wyobrażając sobie, że jest częścią jej ciała. Wyrastał z ich podbrzuszy, ze splątanych razem włosów łonowych. Trudno byłoby odróżnić, do kogo należy. W niej był wspólny. Dawał obojgu tę samą przyjemność w tym samym czasie.

Uwielbiała, gdy w nią wchodził. Nie wślizgiwał się, nie przedzierał ani nie rozpychał, dociskając do granic bólu. W porównaniu z jej wcześniejszymi mężczyznami, było ich czterech, robił to najdelikatniej. Rozchylał ją.

Rano kazał jej zostawać dłużej w łóżku.

– Zajmę się Dawidkiem, śpij, Doruś.

W kuchni czekał na nią sok pomarańczowy, jajecznica.

– Tak, moja pani, śniadanie jest radością bogów. – Szymon kroił chleb.

– A kolacja ich zemstą. – Wyjęła z szafki izraelskie lekarstwa.

– Wiem, wiem, dbam o wagę i serce. – Naprężył muskuły.

– Właśnie te na serce, gdzie są? – Przeglądała opakowania leków.

– W łazience, biorę przy goleniu.

Dawid obijał drzwi szpadlem i wiaderkiem, domagając się wyjścia na plac zabaw.

– Zaraz, smyku, z tobą wyjdę. – Łykał pospiesznie kawę.

– Nie jest psem skomlącym pod drzwiami, umie mówić.

Śmieszyła ją nieudolność Szymona w dobieraniu dziecięcych strojów. Ubierał synka w rzeczy tego samego koloru, „po wojskowemu".

– Rekrut Dawid. – Ukucnęła. – Powiedz rączkami: Wyjść? – zachęcała rozzłoszczonego synka do pokazania językiem migowym, czego się domaga.

– Teraz wiemy. – Pochwaliła go za niedbały gest.

Szymon wstał od stołu, nie kończąc kawy.

– Zaraz – uspokoiła obu.

Włączyła Dawidowi telewizyjną bajkę.

– Rozpuścisz go i nie dam sobie sama rady, niech poczeka, ty jedz. – Spojrzała przez okno, kto jest w piaskownicy.

Starsi chłopcy dokuczali Dawidowi. Szymon też źle znosił ich zabawy. Zbladł, gdy strzelali do siebie z plastikowych miotaczy.

Do piaskownicy przyszły dziewczynki. Gwarancja, że chłopcy tam nie zajrzą.

– Idźcie – pozwoliła.

Usiadł na ławce przy piaskownicy. Dawid kopał szpadlem. Dwie malutkie przemądrzałe, nie zwracając na niego uwagi, zaczynały znajomość. Na śmierć i życie, w odwiecznej licytacji. Kto kogo bardziej. Szymon znał to ze swojej handlowej działki.

– Ja mam na imię Ala – powiedziała odważniejsza w różowym i z kitkami.

– Ja Natalka – odsapnęła druga spod białego kapelusika.

– A ja Zosia – skończyła prezentację Ala.

Natalka nie była przekonana, czy koleżanka jej nie oszukuje. Wahała się między płaczem a pociągnięciem ze złości za kitkę rywalki.

Dawidek przyniósł im wiaderko załadowane piaskiem. Migowym językiem, wspomagając się mruczeniem, powiedział:

– Ja, moje, dużo.

– Małpa – oceniła go Ala.

– Małpa – potwierdziła druga i zgodnie usiadły na brzegu piaskownicy tyłem do Dawida.

Został z dyndającym wiaderkiem.

– Siksy – szepnął do siebie Szymon.

Dorota nie pozwalała mu mieszać języków przy dziecku. Po polsku dziewczynki by zrozumiały. Zadzwonił telefon.

– Gugel? – Klasnął na zachętę Dawidowi napełniającemu od nowa wiaderko.

– Nie wyrobię się dzisiaj, kurdede facto.

– Taak? – Nie pamiętał, co mu zlecił.

– Dali próbkę, do bani. Niekoherentna, taaa, niekoherentna z naszymi oczekiwaniami. – Rozkoszował się słowami, które wypadały z niego jak ze zdezelowanego słownika wyrazów obcych.

Szymon przyzwyczaił się do jego erudycji z kilku nieskończonych fakultetów.

– Kto to kupi? Biało-czerwone bombki na Dzień Niepodległości? – Gugel wyjaśniał handlową porażkę. – Nietrafione, bez sensu. Czwarty lipca, czternasty lipca, rozumiem, niech będzie i dwudziesty drugi, można się zabawić. Ale listopad? W Meksyku na Dzień Zmarłych mają przynajmniej ciepło, a u nas, kurdede facto... Ani położenie geopolityczne, ani daty. I gdzie to powiesić, na choince na wieńcu? Zrezygnujmy, nieadekwatne. Najgorzej, jak coś jest nieadekwatne, prawda? Gdzie szef jest, że tak huczy? – Usłyszał klaskanie tuż przy telefonie.

– Z Dawidem w piaskownicy.

– Aaaa, ja u matki. To pokrywamy całe spektrum, taaa, spektrum. Z piaskownicy do kostnicy i ja w tej sprawie dzwonię. Muszę zająć się matką, bo mi ją zeutanazjują.

– Co zrobią? – Szymon zdjął sandały i włożył stopy w nagrzany piasek. Przesypywał go między palcami, jakby chlapał się w ciepłej wodzie.

– Wykończą. To nie dom opieki, to płatni mordercy z wywieszoną taryfą, pięćset złotych więcej, nieważne, nie mówmy o pieniądzach. – Gugel próbował oddzielić sprawy prywatne i kasę.

Walczył z przekonaniem, że o wszystkim decydują pieniądze. Od podstawówki był zdany na siebie. Matka już wtedy chorowała. Kiedy wyła, trzeba ją było przywiązywać do krzesła. Na wolności wyszłaby bez pamięci dokąd i skąd, odkręciła gaz.

Zarabiał już w liceum. Na drugim roku historii został prezesem spółdzielni studenckiej. Zapłacił za pierwsze prawdziwe wakacje w Bułgarii i opiekunkę dla matki. Pieniądze składał na procent w banku. Część chciał mieć pod ręką. Dolary chował w pudełku pod łóżkiem. Odwracał wtedy krzesło z matką do okna.

Miała kiepski przepływ czasu. Dzień czy dwa – nie stanowiło dla niej różnicy. Pod jego nieobecność zajmowała się nią sąsiadka. Kiedy wrócił po tygodniu, matka podała mu na obiad gorącą zupę. W głębokim talerzu parował wrzątek zielonej zawiesiny z podartych, przemielonych studolarówek. Wtedy zawył. Usiadła przy nim i trzymała za rękę. Gładziła, ściągając w dół z niemym nakazem – zostań. Kładła ją sobie na głowie i sama się nią głaskała. Oboje płakali.

Oddał matkę do prywatnego domu opieki. Odwiedzał co dwa dni. Znał lekarzy, personel, był domownikiem – wzorowym synem. Miesiąc temu zmieniono dyrektorkę. Nowa wprowadziła swoje porządki i podwyżki.

Gugel wszedł do jej gabinetu z pustym opakowaniem po pieluchach.

– Cieszę się, że mogę panią poznać i zapytać, dlaczego moja matka zużywa tygodniowo dwa razy tyle pieluch co przedtem?

– Kim pan jest? – Wysoka, pulchna brunetka w białym fartuchu pstrykała długopisem w otwarty zeszyt.

– Synem Elżbiety Grzeszczak – wymawiając dobitnie nazwisko, zrozumiał, o co naprawdę jest pytany.

Okrągłą twarz dyrektorki nadmuchiwały falujące w dekolcie piersi. Czerwone usta były uszczelką, przez którą wylatywało powietrze rozpylające pogardę.

„Kim pan jest, żeby zadawać mi pytania?". – Gugel znał

te wzgardliwe uśmieszki. „Jestem synem pozbywającym się matki i sumienia. Niepotrzebne staruszki najlepiej zjeść. Nie zostaną po nich ślady ani problemy. A skoro złomuje się je w domu opieki, to należy się wdzięczność ludziom od uprzątania poczucia winy. Ktoś te gówna za nas wynosi".

– Cóż ja mogę panu powiedzieć... Lepiej karmimy, to więcej pieluch schodzi...

Gugel odliczył do dziesięciu, po hebrajsku, żeby było trudniej, od końca.

– Mama schudła.

– Dostała większy zestaw ćwiczeń, musi się ruszać.

– Dostała odleżyn.

– Proszę nie przesadzać, starcze zmiany. Co pan sugeruje...?

– Co pani ma do zaoferowania za pięćset złotych więcej?

– Skarży się pan na coś? Mama jest w dobrym stanie.

– Znakomitym, nie umiera. Zmarły najstarsze pacjentki z jej pokoju.

– To kosztuje więcej niż pięćset złotych.

– Co? – Nie wierzył, że dobrze zrozumiał.

– Nie bądźmy dziećmi, wie pan, wszystkich nas to czeka, chodzi o godność.

Szybko przeliczył: tysiąc dwieście miesięcznie plus pięćset, jeśli wystarczy z emerytury. Trzeba co miesiąc dokładać do pieluch plus wizyty, prezenty dla personelu. Na miejsce czeka kolejka. Śmierć opłaci się każdemu.

Darł z nerwów plastikowy worek po pieluchach. Strzępy nie mieściły się już w garści, spadały na podłogę. Matka musiała czuć podobnie, drąc studolarówki – szybko mrugał załzawionymi powiekami.

– Ale z księdzem? – upewnił się.

– Ksiądz jest u nas zawsze.

– To ja panią za darmo... – Szedł od drzwi do jej biurka z wyciągniętymi rękoma. – Nic już nie pomoże, pani jest nienormalna, Belzebub, Behemot, Lilith, demonie, kurwo, przepadnij, Samael – wyliczał zapamiętane z Biblii złe duchy.

Dyrektorka, zapierając się o poręcze ciasnego fotela, wydobyła z niego pupę. Gugel był jej wdzięczny za ucieczkę. Nie panował nad sobą. Nie chciał udusić kobiety. Nie dałby rady trzęsącymi się rękoma.

– Co pan, no co pan?! – Chroniła się za fotelem na kółkach. – Spokój! – Uderzyła Gugla mocno w twarz.

Kółka poślizgnęły się na kałuży. Oprzytomniał.

– Mam problemy z trzymaniem moczu, kobietom w moim wieku to się zdarza.

– A ja z agresją.

– Młody pan jest, siostra da valium w dyżurce. Źle mnie pan zrozumiał.

– Ja bardzo kocham mamę.

– Dlatego jest pan przewrażliwiony, opieka nad chorym wykańcza. Oboje coś o tym wiemy, prawda? Tym bardziej alzheimer...

– Mama nie ma alzheimera.

– Nie wie pan? Bez wątpliwości. To choroba w dużej mierze dziedziczna. Zaczyna się od nieadekwatnych reakcji, nowy lekarz panu powie, do widzenia. – Zasłoniła kałużę krzesłem.

Pierwsze dni po przylocie Szymon z Dorotą nadrabiali zaległe życie rodzinne. Wspólne śniadania, wyjścia na obiad do warszawskich restauracji. Dorota zbierała pod jego nieobecność recenzje kulinarne z gazet. Wyszuki-

71

wała najmodniejsze miejsca. Planowała, w co się ubierze i o czym mu opowie. Słyszała w myślach głos Szymona odmieniający jej imię, ją samą.

Raz była Dorą – wyzywającą pięknością w pończochach ze szwem i obcisłej sukni międzywojennej bohemy. Włosy gładko zaczesane, szminka stemplująca usta w kapryśny łuk. Kiedy indziej nazywał ją swoją Dorit – wtedy była beztroską *pin-up*, opakowaną seksapilem prowokacyjnych dekoltów, krótkiej spódniczki. Prowadziła z nim w myślach rozmowy o menu, filmach, na które chodziła samotnie.

Tęskniła i wyobrażała go sobie pytającego razem z Brosnanem, agentem 007:

– Ilu miałaś kochanków?

– Jeden, dwa... – Licząc w ciemności sali kinowej, dotykała ust palcami, oblizywała je w zamyśleniu. – Czterech... nie, trzech. Och, nie wiem, jestem humanistką, dla mnie liczy się jakość.

Nie interesowało go ilu. Szukałby tylko potwierdzenia, że jest od nich lepszy.

Nie wiedziała, o czym on naprawdę myśli. Jakie grożą mu niebezpieczeństwa albo pokusy. W zamian za nieobecność Szymona potrzebowała jego zazdrości. Mościłaby się w niej jak w szklanej wacie. Otulona i zraniona podejrzeniami.

„Nie znam mężczyzny bardziej kochającego swoje dziecko". – Nasłuchiwała śmiechu Dawida z łazienki, gdzie każdego wieczoru Szymon kąpał go przed snem. – „Nie zostawi mnie ze względu na niego. Bzdura, nie kocha się tak małego dziecka, nie kochając jego matki".

Po zastanowieniu odwróciła kolejność uczuć. „Sama

72

się udziecinniam, uzależniam od niego, żeby mnie bardziej kochał". – Swój zamęt przypasowała do reguł zdawanych na egzaminach z psychologii nauczania początkowego. Inne zaliczone mądrości pozwalające jej uczyć w pierwszych klasach szkoły podstawowej zawiodły. Z państwowej przeniosła się do małej prywatnej szkoły. Tam też się jej czepiali. Zachęcała najmłodszych do wymruczenia, zanucenia swoich przeżyć, dla których nie znajdowali jeszcze określeń: niedocenienie, wahanie.

– Pani Doroto, proszę ze mną na lekcję pokazową. – Dyrektorka była wstrząśnięta jej metodą. – Dzieci mają się wypowiadać pełnymi zdaniami. Nauczanie zintegrowane klas pierwszych nie polega na śpiewaniu...

Usiadły w ostatniej ławce. Hippisowski strój dyrektorki: lniane spodnie, tunika w kwiaty, był kamuflażem faszystki.

– Nie odwracamy się, słuchamy pani – strofowała dzieciaki podekscytowane gośćmi w ostatniej ławce.

Dorota na swoich lekcjach ustawiała ławki w krąg. Karcenie uczniów za rozmowy było dla niej anachroniczne. Uczniowie widzą latami swoje plecy, co to ma być? Kompania wojskowa? Wyścig kolarski? Gdzie się nauczą współpracy i zaufania, jeżeli słyszą: „Nie odwracaj się! Nie gadaj!".

Jest jeden autorytet – w niego trzeba wlepiać oczy, słuchać i nie myśleć. Od małego wychowujemy polskie zombi – argumentowała w pokoju nauczycielskim.

Dyrektorka była przebraną agentką czarnej pedagogiki produkującej faszyzm. Nie wspominała o dyscyplinie, to było *passé*. Rodzice płacili za nowoczesne pomoce naukowe, kształcące wycieczki, rozwój dzieci.

– Bo ty jesteś marzycielka – mówił Szymon Dorocie

narzekającej na głupotę szkoły. – Sentymentalna marzycielka.

Słuchali razem winylowych płyt Niemena. Mieli wspólną kolekcję Skaldów, Breakoutów. Ich piosenki były dla Szymona powrotem młodości. Zamykał oczy i na plecach Doroty czytającej w łóżku kobiece pisma wystukiwał rytm. Uwielbiała polską muzykę oldschoolową. W porównaniu z najnowszą była symfonią. Aranż piosenek Grechuty wywoływał dreszcze.

Zgadza się, jestem nostalgiczna – przyrównywała astrologiczny opis Wodnika z gazetowego horoskopu. Nowoczesna, wyprzedzam inne znaki zodiaku wizyjnością pomysłów. Ktoś to doceni? Pomyślała o satysfakcji dyrektorki, gdy odchodziła na macierzyński.

– Nareszcie! – powiedziała Dorocie. – Zrozumie pani, co znaczy mieć dziecko, własne. – Poprawiła sobie czerwoną marynarkę.

Symbol energii i przywództwa nad układnymi nauczycielkami. Mięsisty kolor dyrektorskiej marynary wziął się dla Doroty prosto z dżungli. Tam też małpy w rui wystawiały przekrwione tyłki, dominując bezpłodne samice i napalone samce.

– Odkryje pani w sobie instynkt. – Dyrektorka podpisywała papiery. – I zapomni o modnych eksperymentach. Nowinki mijają, solidna wiedza zostaje.

Dorota, leżąc w łóżku z drzemiącym Szymonem, czytała ostatnią, astrologiczną stronę czasopisma: Kobieta Wodnik. Niezależna. Najbardziej wyzwolona ze wszystkich znaków zodiaku, ma tendencję do niszczenia związków. Rzadko spełniona w miłości.

– Ooo, tak – przyznała. – Nie doceniam tego, co mam. Szymon daje mi wolność, nie zadręcza sobą – znajdowała zalety samotności.

Pod jego nieobecność piła przed snem wino. Słuchała Niemena ze starych czarnych płyt i kręciło się jej po dwóch kieliszkach w głowie. Fortepian odpływał, ściany nadjeżdżały. Proporcje, sprzęty zmieniały szyki. Szymon też był nie wiadomo gdzie. Tęsknota za nim, przed nim, wypełniała przestrzeń, nieznaną odległość między nią a ukochanym.

– Ze względu na wasze bezpieczeństwo – wyjaśniał jej Szymon – pojedziemy nocą.

– Daleko?

– Doruś, wiesz gdzie, do firmy.

Nigdy nie była w Sancie.

– Zadzwonię po opiekunkę. – Wzięła ze stołu telefon.

Dawid złapał za jej krótką letnią sukienkę. Odsunęła go, zanim zmoczył ją łzami.

– Nie, nie, zostajesz – mówiła powoli i pokazywała językiem migowym. – Dzieci nocą śpią.

Mały skazany na odmowę zrezygnował ze skomplikowanego migania. Piąstkami wycierał łzy.

– Weźmy go, najwyżej zaśnie po drodze. – Szymon nie lubił zostawiać Dawida pod czyjąś opieką. – Niestety możemy tam jechać tylko nocą. Dorotko, rozumiesz, ktoś was zobaczy i będą kłopoty. Na pewno któryś z pracowników jest wtyką, znam Mosad.

– Myślisz, że cię nie śledzą i nie wiedzą, z kim mieszkasz?

– Dobrze kombinujesz, dobrze, wznieś się piętro wyżej. – Zapakował do torby kartonik soku. – Dla Mosadu jesteście moją przykrywką. Obce wywiady infiltrują Mosad i mają te same informacje. Lipnej rodziny nikt nie skrzywdzi, nie będą mnie szantażować. Ale pokazywanie się w fabryce... zrobią wam zdjęcia. Wypłyną w najmniej oczekiwanym momencie i cię, Doruś, załatwią. – Szymon wziął na ręce ziewającego Dawida.

– Za co? Za bombki? – Zawahała się, czy na białą sukienkę nie narzucić czarnego szala. Nocą było chłodniej i może byłaby mniej widoczna...

– Najcenniejsze są informacje, to zawsze chodliwy towar. – Rozejrzał się uważnie po mieszkaniu, zasunął żaluzje. – Ni z tego, ni z owego pojawią się twoje zdjęcia z Santy i wplączą cię w aferę, kiedy komuś się to przyda. Trzeba przestrzegać procedur. I tak je naciągam, zabierając cię tam nocą.

W przedpokoju ustawił równo buty i przesunął telefonem przy domofonie. Jego zwyczajna z pozoru komórka miała czujnik pobierania energii. Sprawdzał nią, czy nie podłożono pcheł.

Gugel, czuwający nad bezpieczeństwem, raz na dwa tygodnie „obwąchiwał" całe mieszkanie. Meldował się późnym wieczorem, gdy Dawid spał. Obładowany ciężką torbą skupiał się fachowo przy gniazdkach elektrycznych. Po obchodzie łazienki, kuchni, schowków siadał z Dorotą do kilkugodzinnej kolacji. Współczuła mu, superinteligentny facet wyrzucony z kilku uczelni. Zawieszał się na problemie, drążył go, nie nadążając za programem. Do tego nieuleczalnie chora matka wymagająca anielskiej cierpliwości i rozbita psychicznie narzeczona uwikłana w beznadziejne małżeństwo.

Dorocie zdawało się, że wie o Guglu więcej niż o Szymonie. Ale czy mężczyzna, prawdziwy mężczyzna, zastanawiała się w chwilach zwątpienia, to nie tajemnica?

– Żartujesz, chłop i tajemnica – kpiła z niej siostra, pracownica ostrowieckiego magistratu. – Znam życie z urzędu i domu. – Rozciągała na wydatnych piersiach sweterek przetykany srebrną nitką elegancji. – Tajemnicą mężczyzny, której nigdy nie potrafi ci wytłumaczyć, jest... bo ja wiem... kto wbiegł na spalonego i skąd się wzięły ślady szminki na jego koszuli. A reszta... chuj z nim, dobrze ci radzę.

– Czym dla kobiety jest penis? – pytała w telewizji śniadaniowej ulubiona pisarka Doroty. – Cytatem z mężczyzny, zaledwie.

Dorota rozglądała się po olbrzymiej hali produkcyjnej Santy. Komin, obdrapane cegły fabryczki nie zapowiadały tego, co kryło się w środku. Migoczących ścian z ułożonych warstwami bombek. Szymon przekręcał stare ebonitowe włączniki i pod szklanym sufitem zapalały się lampy. Buczały, strzepując z siebie ciemność. Wokół metalowych kloszy razem z kurzem unosił się brokat.

– Aaa! – Rozbudzony Dawid biegał między półkami.

– Nie odróżnia snu od prawdy. – Szymona bawiło oczarowanie chłopca miejscem, gdzie znalazł się po przebudzeniu: świecące Mikołaje, jelonki, oszronione kule.

Wspinał się na palce, pokazywał ojcu upragnione bombki. Szymon dał się wciągnąć w gwiazdkową świąteczność letniej nocy.

Dostał w prezencie Dorotę i Dawida. Wybrał mu imię, jednak w myślach nazywał go synkiem. Nadal miał syna. Gdy wracało rozpaczliwe skomlenie po Saulu, miłość do niego i tęsknotę przelewał na bezbronnego Dawida. Przytulał go, wdychał zapach rozgrzanej główki.

– Ale tu pięknie. – Dorota wzbijała obcasami mieniący się kurz. – Królewna Śnieżka tańczy charlestona. – Zrobiła

kilka kroków, omiatając podłogę boa ze złotej łańcucho-
wej folii.

Wchłonęła go radość synka, zabawa Doroty. Zapomniał, że jest z boku, ze swoją emigracją – miłosną i tą
prawdziwą, między Izraelem a Polską. Przez moment nie
musiał dzielić życia na to na miejscu i na wynos. Przestał
być rozdwojony, nie wiedział, czy w zamian szczęśliwy...
jeśli tym było szczęście.

Zadzwoniła komórka. Mógł zignorować połączenie
z Hanną, robił to wiele razy. Spał, miał ważne spotkania.
W tej chwili kłamstwa wydawały się mu zbyt męczące.

– Centrala! – Podniósł telefon i oddając Dorocie opiekę nad podekscytowanym Dawidem, wszedł na piętro do
biura. Usiadł na stole pozastawianym szklankami, pudeł-
kami po pizzy.

– O tej porze, Chamuda?

W Izraelu było po północy.

– Nie mogę spać, gorąco...

– U mnie w porządku. – Przeszedł na tryb ogólników,
łatwych do wytłumaczenia Dorocie, gdyby usłyszała rozmowę z Hanną. Nie znała hebrajskiego, jednak ostroż-
ność nie zaszkodzi. W szufladzie nocnego stolika znalazł
samouczek.

– Szymon, powiedz szczerze, bierzesz lekarstwa?

– Trzymam się rozkazów.

– Sobie też powinnam coś przepisać... widziałam się
z Miriam.

– Wiem. U nich bez zmian? – Chciał skrócić opowieść
żony.

Przeciąganie słowa „Miiiriaaam" świadczyło, że coś
ją niepokoi. Nie córka, jej zachcianki i szaleństwa zawsze
potrafiła usprawiedliwić.

– Szymon? – Hannę zaniepokoiła cisza.

W ich mieszkaniu przez otwarte okna dobiegał szum morza. Wiedziała, że to cisza, brzeg był za daleko. U Szymona też cicho, jakby rozmawiali ze sobą z zamkniętymi oczami w tym samym pokoju.

– Jestem wykończony.

– Zadzwoń rano, jesteś już w łóżku?

– Tak, zamelduję się jutro.

– Dobranoc.

Schował telefon.

Echo zwielokrotniło popłakiwanie Dawida. Podnosiło głos pod sufit i z wysokości trzech kondygnacji roztrzaskiwało w rozpaczliwe zawodzenie.

– Prosiłam... – Dorota wyjmowała mu z dłoni zgniecioną bombkę.

– Zabandażować? Plaster? – Szymon zbiegł z apteczką.

– Tata! – Dawid wyciągnął do niego rączki.

– Przecież nie krzyczę. – Dorotę zdziwiło odtrącenie przez synka.

Ona pocieszała, całowała zadrapania.

– Między nami mężczyznami, nie będziemy płakać? – Wziął go na kolana.

Usiadł przy podeście zarzuconym pędzelkami, słoikami farb. – Jedna bombka i po krzyku.

– Zanim się zorientowałam, potłukł te z pudełka. – Miała sobie za złe brak uwagi.

– Nieważne. – Szymon kołysał usypiającego Dawida.

– Nieważne?

Gugel spowiadał się z każdej zniszczonej partii towaru. Pomalowanie dużej, artystycznej bombki zajmowało pół godziny. Dla Szymona były czymś więcej niż zyskiem. Dzięki firmie utrzymywał rodzinę, wymykał się rygorom Mosadu. Był ojcem i mężem, nie wyłącznie agentem do przerzucania w różne strony świata, towarem ludzkim.

– Podnieś, tam. – Przesunął stopą kolorowe skorupy. – Coś ci pokażę.

Zgarnęła resztki.

– Widzisz? – Poskrobał je paznokciem.

Podniosła niebieską potłuczoną bombkę za nasadę. – Nic, stłuczka, ale to ty jesteś „szefem", kurdede facto – naśladowała entuzjazm Gugla.

– Przyjrzyj się dokładniej. – Nie żartował.

Oparł na sobie posapującego przez sen Dawida. Manipulując jak przy rozbrajanym ładunku wybuchowym, ostrożnie, nie krusząc resztek, wyjął z bombki dwuramienny drucik. Pokręcił miniaturową niby-anteną łapiącą zasięg.

– To? – Wzięła od niego zawieszkę.

– Nanotechnika, gołym okiem nie widać.

Zawinął cenny drobiazg w płatek srebra zostawiony na stole przez dekoratorów.

– Wyślemy ofertę. Dwadzieścia osób, Wieliczka, zwiedzanie, przewodnik gratis. – Gugel zapisał datę na samoprzylepnej karteczce.

Okręcając się w wysokim skórzanym fotelu, szukał wolnego miejsca, gdzie mógłby ją przykleić. Ściana za nim, biurko i szafa wyładowana rzędami segregatorów były już zakryte żółtymi kartkami.

– Niech zgadnę... ten przewodnik to ty? – W rogu ciasnego pokoju-biura Ewelina wkładała pończochy.

Nie spiesząc się, z zastanowieniem, jakby jej myśli rozwijały się też centymetr za centymetrem ze zrolowanego kłębka.

– Samozatrudnienie. – Gugel nadal zastanawiał się, gdzie przykleić tak ważną ofertę.

– Byłeś w Wieliczce?

– Nie. Co za problem, poczytam.

– No właśnie.

– Co?

Zobaczył szyderczy uśmiech uszminkowanych, pulpiastych ust odsłaniających ostrzegawczo zęby. Górne jedynki Eweliny zachodziły na siebie, kojarząc się Guglowi z założonymi seksownie nogami. Uważał ten defekt uzębienia za uroczy. Odpowiedni do jej nieprostowanej konwencjami naturalności. Lubił oryginalną urodę swojej dziewczyny; przezroczyście niebieskie oczy wepchnięte w miękkość owalnej twarzy przeciętej długą, zaczesywaną na bok czarną grzywką. Wąskie biodra z pupą napiętą jak biceps.

Ewelina w staniku, figach i samoprzylepnych pończochach podeszła do biurka. Władczo zatrzymała kręcony fotel Gugla.

– Włóż. – Odsunęła na biodrze czarną gumkę majtek.

Nie był pewien, czy to zabawa, czy żądanie. Dostawała od niego pieniądze, gdy kończyło się jej stypendium. Przeliczył w pamięci, ile mu zostało kasy. Miał ostatnią stówę w papierku. Poprzedniej nocy bankomat odmówił wypłaty.

– Potrzebujesz na leki?

Pigułki nie kończą się niespodziewanie, można je przyoszczędzić, pokroić. Mąż Eweliny brał najdroższe, sprowadzane ze Szwajcarii.

– Mylisz mnie ze swoją matką?

– Nie, myślałem o Eryku.

– On sobie radzi, ty dostajesz pierdolca. Wszędzie kartki, kartki. – Przejechała czarno pomalowanym paznokciem po ścianie i biurku.

– Nie chcę obciążać pamięci.

Panicznie bał się alzheimera. Ukrywał się przed nim za notatkami. Każdy dzień, godzina bez pierwszych oznak choroby była darowanym szczęściem.

– Czym masz ją obciążać? Jednym zamówieniem do Wieliczki? Za pół roku?

– Zgłosili się wreszcie z Izraela, piętnastu licealistów, wyobrażasz sobie, jaka to odpowiedzialność? Ochrona, obstawa. – Wyjął faks z firmowym znakiem Fishera. – To początek. – Chuchnął na wydruk, żeby nie spłoszyć szansy.

– Gugel, Szymon ci go naraił, nikt o tobie w Izraelu nie słyszał.

– Dlatego muszę się wykazać.

– Przyklej na mnie. – Pstryknęła znowu gumką. – Najpierw napisz „dupa". Twoja dupa, tak o mnie mówisz.

– Co ci się przypomniało? Ewelinka, raz, jeden, jeden raz przez telefon tak powiedziałem. Nie znasz gostka, inaczej by nie skumał. Jak się miałem tobą pochwalić? Nierozwodna mężatka? Nie zostawisz Eryka.

– On jest psychicznie przewrażliwiony, wiesz.

– Psychicznie, kurdede facto, to ja nie wyrabiam.

– Więc sprowadzasz sobie na pocieszenie licealistki z Izraela?

– No co ty, myślę tylko o tobie.

– A wiesz, co ja myślę? Że jak ktoś mówi, że ma czyjąś dupę, to mu się przeszczep z gówna przyjął. O tu! – Uderzyła go otwartą dłonią w czoło. – Żydówki są bardziej napalone, nie? Wiem, przy czym się brandzlujesz.

– Nie brandzluję, myślę wtedy o tobie, a ty wcale, zostawiasz mnie na tydzień samego.

– Twoja matka, mój Eryk, dorośli jesteśmy i mamy zobowiązania.

– Powiedzmy.

– Ja sobie dobrze nie robię przed snem popierdoloną Żydówą.

– Co ty bredzisz? Nic nie oglądam.

– Normalny facet by oglądał. Ty jesteś pokręt i walisz konia, czytając zboczoną Steinówę: „Niech mnie Chrystus ujeżdża jak krzyż", och, och aaa – jęczała. – Aż się klei. – Złapała za stronę otwartej książki. – Wyrwij i se przyklej.

– Nie Edyta Stein, tylko Katarzyna ze Sieny. To napisała Katarzyna ze Sieny, święta, doktor Kościoła. Czytam przed snem zamiast modlitwy.

– *Ganz egal*, z kim się bawisz w doktora. Możesz i z Korczakiem. Wszędzie Żydzi. – Kopnęła książki przy materacu. – Wszędzie, słuchasz Żydów, o proszę, Streisand, kto normalny słucha Streisand? Simon i Garfunkel, pewnie ściszasz Garfunkela, Dylan, pieśni sefardyjskie. Słuchasz ich, pracujesz dla nich, w głowie ci się popieprzyło od tego i chcesz być Żydem.

– Chyba tobie, od Eryka.

Złapała za faks.

– No to proszę! – Przedarła wydruk zamówienia Fishera. – Mało? – Szarpnęła pamiątkowy plakat polskiej premiery *Skrzypka na dachu*, zdzierała kartki ze ściany.

– Przestań! – Usiłował przez blat złapać ją, zanim w szale zniszczy komputer. – Przestań! – Przytrzymał jej ręce.

– No uderz mnie, uderz! – Splunęła mu w twarz. – Nie stać cię nawet na to.

Uważał się za normalnego, nigdy jej nie przyłożył. Nie walnął za bolesne kopanie po piszczelach, gryzienie, wyzwiska. Ewelina wpadała w szał z wielu powodów. Jednym z nich był jej mąż. Zdrada stawiała go na piedestale nietykalności. Wychudzony Eryk w podniszczonych angielskich swetrach przywiezionych ze stypendium w Cambridge był czczony przez Ewelinę. Wielbicielkę Dostojewskiego, jedynego pisarza znanego jej poza szkolnymi lekturami. Widziała w swoim mężu niewinnego księcia Myszkina – idiotę.

Gugel przyznał jej rację: genialni malarze, matematycy mogą być idiotami, chociaż ich talent interpretuje świat. Erykowi jawił się on ciągiem cyfr, zwykłe zdarzenia przemykały smugami obliczeń. Wymęczony natłokiem bodźców przyglądał się temu spektaklowi zaczerwienionymi oczami. Jego nieustające zapalenie spojówek mogło według Gugla świadczyć o podrażnieniu mózgu.

– W końcu, kurdede facto, gałka oczna w swojej filogenezie jest niczym innym jak wybałuszonym zwojem mózgowym – objaśniał Ewelinie.

Eryk jadł głównie lekarstwa popijane mlekiem. Zgadzał się pogryzać orzechy i awokado ze względu na ich składniki wspomagające pracę umysłu. Z tego też powodu nie pozwalał sobie obciąć włosów. Odzyskiwał zawarty w nich krzem. Ssał kosmyki, co go uspokajało i pozwalało wbudować w mózg podzespoły. Krzem – Gugel znowu musiał potwierdzić – wchodzi w skład komputerowych chipów.

Nie mógł uderzyć Eweliny, zamachnąć się na kobiecość, na ludzki geniusz. Dotychczas wydawało się mu to adekwatne, ale może właśnie niepowstrzymywanie się przed przywaleniem jej w tyłek było słuszne? Usta dyrektorki hospicjum były ustami przeznaczenia: symptomy alzheimera to zaniki pamięci, nieadekwatne reakcje, poczucie zagubienia.

Po co się w ogóle zadawał z Eweliną? Był zagubiony w samotności?

Przyszła do niego dwa miesiące temu. Zainteresowało ją ogłoszenie o wycieczce do Izraela wyklejone w oknie. Pokręciła się po biurze, usiadła naprzeciwko Gugla, wysuwając z rękawów czarnego swetra wytatuowane nadgarstki. Narkomanka – przestraszył się. Pierwsza z nadchodzącej fali ćpunów przegnanych z Dworca Centralnego. Mamrotała coś o powrocie do ziemi przodków, Nowej Jerozolimie. Dopiero później się zorientował, że cytowała Dostojewskiego.

– A gdybym była Żydówką, to co?

– Nie dajemy zniżek.

– Ewelina – przedstawiła się. Wyciągnęła do niego rękę i wyhamowała.

W swojej wyobraźni mogła być dojarką obsługującą dojacz chmur albo wielką maszynę do równania powietrza – zauważył matematyczne symbole wplecione w tatuaż.

Obserwowała Gugla od kilku tygodni.

– Wyglądasz jak holenderska dziwka na wystawie.

– Rozkręcam biznes.

– Nic nie sprzedajesz, siebie.

– Z pozoru, kurdede facto. Pracuję – dał jej do zrozumienia, że przeszkadza. – Czego chcesz? – Przyglądanie się mu nie mogło być bezinteresowne.

– Seksu. Ale wiesz, takiego z ambitnych filmów. – Odsunęła suwak kieszonki. – Pieprzymy się bez słowa i każde odchodzi w swój świat, bez komplikacji, jestem mężatką. Studentką mojego męża. – Paznokciami pokrytymi czarnym lakierem wyjęła prezerwatywę.

Odblaskowe opakowanie skupiło całe światło małego biura. Wyblakły przy nim plakatowy lazur nieba Ziemi Świętej i rafy Morza Czerwonego.

– Nie mam HIV-a, mam uczulenie na lateks...

– Trudno. – Schowała gumę.

– I jestem bezpłodny, chorowałem na różyczkę.

– Tym lepiej. – Rozpięła kurtkę.

– Muszę ci więc o czymś powiedzieć... – Opuszczanie rolet w oknach w biurach wychodzących na ruchliwą ulicę było bolesnym *déjà vu*. – Cierpię na przedwczesny wytrysk.

– Żartujesz? Nie ma czegoś takiego... to znaczy ile czasu?

– Minuta, trzy, zależy.

– Przedwczesny wytrysk jest wymysłem patriarchatu. Skupianiem się nad facetem; oj biedny, biedny. Żeby nie mówić o cierpieniu kobiet. One cierpią na spóźniony orgazm. Każdą można doprowadzić do ekstazy w pół minuty.

Dla Gugla w tym, co mówiła, było za dużo ideologii, ale jak każda przemycała obietnicę.

– Ciebie... Ty też w pół minuty?

Jedyną adekwatną reakcją było przyłożenie w błagalnie wystawiony tyłek Eweliny. Klepnął ją na otrzeźwienie, jak policzkuje się histeryczkę. Nie za mocno. Cierpliwie drapała blat biurka. Znowu ją uderzył. Przestał się zastanawiać, czy przekroczył dopuszczalne granice. Klapsy, wykręcanie rąk okazały się skuteczne. Jęknęła głęboko, z ulgą. Wszedł w nią, między zaczerwienione pośladki.

Powtórzył się głęboki, niemal nieludzki dźwięk. W rozchybotanym biurku, o które się opierali, otworzyły się drzwiczki. Lakierowane, ciężkie drewno solidnego mebla z lat pięćdziesiątych miało zardzewiałe zawiasy. Nieoliwione od dziesięcioleci wydawały skrzypienie imitujące orgazmiczne pokrzykiwania.

O tonację niżej od Eweliny – wsłuchiwał się w nie Gugel. C, G, Fis – odróżniał nuty.

Dorota umiałaby je zapisać i powtórzyć. Uwielbiał przyglądać się jej grze na fortepianie, była uduchowiona. Dotykała muzyki palcami, lekko, Chopina z pamięci. Z własnej duszy, grała siebie. Nauczyła Gugla jednego kawałka, parę łatwych taktów *Marsza żałobnego*.

– C, D. – Prowadziła mu palce.

Powtórzył. Potem się pomylił i zniecierpliwiony nacisnął mnóstwo klawiszy jednocześnie.

– Klaster, wykonałeś klaster – wyjaśniła, siedząc prosto niczym joginka na brzegu wyściełanego stołka.

Bose stopy oparła o mosiężne pedały fortepianu.

– Wszystko ma nazwę? Fałszowanie też? – Nie wstydził się swojej ignorancji, przy Dorocie nabierał ufności dziecka.

– To nie fałsz, to współbrzmienie chaosu. – Miała wprawę w pocieszaniu uczniów.

– Chaos jest rozpadem – przełożył muzykę na łatwiejszą do zrozumienia fizyczną entropię. – Śmiercią informacji.

– Chaos jest też początkiem – zaprzeczyła pospiesznie. – „Na początku był chaos".

– Hałas. – Oparł się na klawiaturze.

Nie powinien przy niej mówić o śmierci. Grając, spoglądał do drugiego pokoju, czy na ekranie telewizora pojawi się coś niepokojącego. Przerwane wiadomości CNN, reporter w kuloodpornej kamizelce. Gugel był awaryjnym kontaktem z Szymonem. Golberg dzwonił do niej prawie codziennie, wysyłał mejle. Dorocie zdarzały się jednak napady paniki. Prosiła wtedy Gugla o wykorzystanie tajnego numeru. Szyfry do niego zmieniała losowo agencja.

– Dzwonię z Warszawy – podawał Szymonowi umówione hasło.

Jeżeli w pobliżu kręciła się Hanna, rozmawiali o firmie Santa. Jeśli był sam, słuchawkę dostawała Dorota.

Gugel umiał jej wyperswadować irracjonalne lęki. Dodawał sobie znaczenia, zdradzając przeczytane w książkach tajemnice służb. Dobrą metodą było też pozwolić się wygadać. Od obaw o Szymona przechodziła do niepokojów o Dawida.

Znajdowała też dobre strony swojej samotności. Studiowała technikę gry typową dla baroku. Opowiadała Guglowi o nowatorstwie Vivaldiego. Słuchając objaśnień i zwierzeń, asystował jej na spacerach, zakupach, przy kąpieli synka.

Podawał ręcznik podczas mycia Dawida po powrocie z porodówki. Nie zrobiły na nim wrażenia miniaturowe palce, opuchnięte jądra i czerwone ciało kraba przebierającego bezwładnie kończynami. Zadziwił pępek.

– Co to jest? – zapytał Dorotę wkładającą ostrożnie Dawida do wanienki.

– Odcięta i zawiązana pępowina, ładnie się goi. Niedługo odpadnie.

Brązowy kikut był suchą gałązką. Gugel usłyszał trzask odłamywania jej od Drzewa Życia. Nie, kurdede facto – pępowinę się odcina.

– Dorota, nożem? – Ciachnął palcami nad pępkiem Dawida.

– Czymś takim, specjalne nożyce.

W umyśle Gugla błysnął miecz anioła wyrzucającego Adama i Ewę z Edenu. Znał Biblię, fragmenty na pamięć, co ważniejsze słowa po hebrajsku. Cytując je, imponował swoją domniemaną żydowskością. Podając zasypkę, ręczniki w kaczuszki, sam sobie zaimponował skojarzeniem: odcinanie metalowym ostrzem pępowiny i drogi powrotu do raju. Bezpiecznego łona matki, gdzie było się sobą niezanurzonym w brutalnym świecie.

– Od tego Dawidek dostaje plam. – Odstawiła tubkę kremu.

Gugel nauczył się, które dziecięce szampony i balsamy podrażniają.

– Ewelina nie lubi się opalać – wciągał w rozmowę o kremach. Musiał się dowiedzieć, co jej sprawiłoby przyjemność. – Są podobno dobre polskie przeciwopalacze, nie znam się...

Dorota wysypywała do umywalki kosmetyki. Doradzała nieporadnemu Guglowi zadającemu naiwne pytania.

– Ładnie pachnie. – Wąchał pudełko.

– Skończył się podkład. Dobry na zimę, latem lepiej z filtrem.

– Który?

– Muszę kupić. Najlepiej tej firmy. – Podsuwała mu flakonik. – Drogie, co zrobić, kosmetyki są podatkiem od nadziei.

– Od czego? – Usłyszał to, o czym sam myślał: drogie kosmetyki były bakszyszem za oczekiwanie w haremie.

Bystra, udaje z wygody, dla dobra Dawida...

– Nadziei na zachowanie młodości, urody. – Dla niej to były pogaduszki. Dla Gugla cenne wskazówki, co zapakować Szymonowi do torby podarunków z podróży. Nie natychmiast, na następne wizyty.

Taktycznie odczekiwał parę miesięcy. Prezenty więc niekiedy dublowały zakupy Doroty. To nasunęło podejrzenie, że Szymon ma wgląd w domowe rachunki. Żaden problem dla hakerów Mosadu złamać kody wydruków sklepowych i kont. W swojej dobrotliwej naiwności Szymon kopiował jej zakupy.

– Gugel, wiesz, gdzie on jest? Tak mniej więcej, powiedz – prosiła zaniepokojona wiadomościami z Iraku.

– Bezpieczny w Izraelu, w bazie, a gdzie miałby być? Na szkoleniach – kłamał.

Początkowo robił to, bo Szymon mu płacił. Chronił szefa. Pierwsza ściema nie była trudna, biznes jest grą. Krył Golberga przez telefon.

– Pani Doroto, szef nie przyleci w terminie. Prosił o przekazanie kwiatów.

Doceniał spryt Szymona umiejącego ustawić się między żoną a kochanką. Trzymanie Doroty w niepewności, odwoływanie, skracanie wizyt zapewniało spacyfikowanie kobiecych roszczeń. Cieszyła się skrawkami czasu Szymona. Nie umiałaby z nich ułożyć całości, rozwiązać zagadki „agenta".

Dorota nie była jednak klientką firmy ani biznesową kontrahentką. Po pierwszym z nią spotkaniu Gugel poczuł moralnego kaca.

Zaprosiła go do mieszkania kupionego przez Szymona w Piasecznie. Nie było jeszcze mebli, oprócz łóżka i fortepianu. Pomagał jej wkręcać żarówki, wieszać obrazy.

` – Jesteś pewna, że chcesz ten landszaft w salonie? – Trzymał za ramy sielską reprodukcję Chełmońskiego.

– Szymon lubi. O, i ten plakat. – Wybrała spośród rulonów Cieślewicza z lat sześćdziesiątych.

Podała wino w plastikowych kubkach. Siedzieli na nowiutkiej panelowej podłodze, oparci o łóżko. Byli parą urządzającą się w świeżo oddanym apartamencie. Śmiali się w tych samych momentach, mieli podobny gust.

– Zasłony w kwiaty. – Dorota zmrużyła oczy i palcami kadrowała wyjście na taras.

– Mieszczańskie. Wpuść nowoczesny design. Grafitowe żaluzje... w kwiaty. Metalik.

. – Nie kupisz takich.

– Znajdę. Mam kumpli po designie. Wybierzesz wzór, pasowałyby duże maki.

– Okna są niewymiarowe, trzeba robić na zamówienie... będzie drogo.

– Starczy... – Dopił wino.

Obojgu płacił Szymon. Guglowi pensję za dozór Santy i bycie do jego usług. Zlecił mu pomaganie Dorocie, finansował urządzanie mieszkania, jej większe wydatki. Z nauczycielskiej pensji nie starczyłoby na czynsz w apartamentowcu.

Nie byli utrzymankami Golberga. Niewygodę zależności łagodziła Guglowi uczciwa praca w Sancie. Dorota się naprawdę zakochała. Wariacko, romantycznie poszłaby za Szymonem na pustynię, żyła szarańczą i wodą. Wygodne dwa pokoje pod Warszawą były jego decyzją. Marzeniem powrotu do Polski, ona w nim z miłości zamieszkała.

Po pół roku były grafitowe żaluzje z kwiatowymi nadrukami, skórzane sofy, idealnie dopasowane szafki w kuchni. Gugel przygotował się do wyjawienia Dorocie prawdy. Odłożył pieniądze na kilka miesięcy za dom opieki dla matki. Później rozkręciłby swoją firmę turystyczną. Dorota zarabiałaby w szkole, mieszkaliby u niego. Powiedzenie prawdy nie jest zdradą, jest przywróceniem przedustawnego porządku. Przedustawnego – Gugel smakował to słowo wreszcie w innym kontekście niż ustawne szafki sześćdziesiąt na sto dwadzieścia centymetrów, wybierane w sklepach meblarskich.

Dorota zaprosiła go na kolację. Miał dotrzymywać jej towarzystwa, ale nastrój – świece, kwiaty, łagodna muzyka – zapowiadał coś więcej. Zachętę do wyznań. Zręczniej było pozwolić jej mówić.

– Jestem w ciąży. – W tym momencie Dorota stała się podwójnie niedostępna.

Ona i dziecko Golberga. Decyzja zapadła: nigdy nie pozna prawdy. Gugel znał ból samotnego macierzyństwa z obydwu stron: matki i swojej. Nie miał pewności, czy Dorota wybaczy mu kłamstwa. Kiedy sprawy zaszły za daleko, należy się także oddalić. W jego schronie-biurze pojawiła się Ewelina, przeciwieństwo zrównoważonej, delikatnej Doroty.

Szymon swojej kobiety na pewno nie bił. Inaczej przekraczał granice normalności. Była mu za to wdzięczna, za dom, Dawida i wierność tajnego agenta. Kłamstwa Golberga stały się obsceniczną perwersją, bo on, Gugel, był ich świadkiem. Podglądaczem, komentatorem, gdy oszukiwał Dorotę, i pośrednim sprawcą, wchodząc w ten układ. Jego perwersji z dręczoną na własne życzenie Eweliną nie podkręcała obecność osób trzecich.

*

– Z biegiem czasu człowiek powinien traktować siebie coraz mniej osobiście – westchnął Szymon.

Niepotrzebnie zdenerwował się w sklepie. Nie pojechał samochodem do centrum handlowego. Wolał w ładny letni dzień przejść się z Dawidem spacerkiem do osiedlowego spożywczaka. Nie pachniało w nim mieloną kawą ani kiszoną kapustą, tym, co za jego dzieciństwa odróżniało delikatesy od zwykłego sklepu.

Dzieciństwo Dawida było kolorowe i w zasięgu małej rączki.

– Chcesz lody? Batonik? – Szymon kupiłby mu wszystko.

W nagrodę za to, że jest, ze współczucia dla niewinnych pragnień dziecka.

– Kaszkę i pieluchy poproszę – przypomniał sobie polecenie Doroty.

Nie poszła z nimi, przyjmowała fachowców od klimatyzacji.

Posadził Dawida na ladzie.

– Kukurydzianą, z owocami? – Sklepowa nie była uprzejma.

Dawid zakrył jej plotkarską gazetę rozłożoną przy kasie.

– Tam. – Pokazała rozglądającemu się po półkach Szymonowi. – Za moim palcem. – Podniosła rękę.

Pod pachą plama potu zabarwiała jej granatowo--niebieską bluzkę. Piegowate przedramię ze wzgórkami tłuszczu było przedłużeniem bufiastego rękawka.

– Która kaszka? – zapytał synka liżącego lody.

Mały pokazał paczkę za plecami sklepowej.

– Gryczana. Jest pan pewien, że dla dziecka?

– Nie, zadzwonię. – Wyjął telefon.

– A te pieluchy jakie?

– Jednorazowe.

Ktoś mu westchnął nad uchem. Odwrócił się, kobieta o wyskubanych brwiach podniosła w zdziwieniu czarno wyrysowane łuki. Sklepowa uśmiechnęła się z politowaniem.

Był w kobiecej sieci zarzucanej ochronnie na samotnego mężczyznę opiekującego się dzieckiem. Kamienno-plemienna wspólnota chroniła małe przed debilem.

– Co pani tymi gałami przewraca? Pani dziecko?! – W Szymonie buzowało.

Nie był już w wieku, gdy pomoc przyjmuje się z wdziękiem potrzebującego. Przy Miriam i Saulu wysłuchiwał porad dla niedoświadczonego ojca. Teraz w spojrzeniu kobiet, być może starszych od niego, odczytał litość nad starzejącym się mężczyzną i pogardę. Nie odróżnia gówna od kaszanki.

Wzburzony wracał do domu. Przeskakując po dwa, trzy stopnie, rozśmieszał tym niesionego na barana Dawida. Sobie upuszczał wściekłości i udowadniał kondycję.

Robotnicy wychodzący z jego mieszkania zapewniali Dorotę:

– Da się zrobić. Skujemy minimum, po małych kosztach. Do Żyda nie pójdziemy.

Odczekał, aż miną go na korytarzu wyściełanym dywanem. Dorota byłaby zażenowana tym, co usłyszał.

– To nie jest antysemityzm – przekonywał. – Żaden.

– Dziewięćdziesiąt pięć procent Polaków podających się za katolików – cytował statystyki – ma w domu na ścianie zabitego Żyda.

– Oj przestań – mówiła podobnym tonem jak on kiedyś do Hanny wzburzonej polskim antysemityzmem.

Od trzech lat, od poznania Doroty, zaczął się z żoną zgadzać w tej kwestii. Przecież stare, dobre małżeństwa się upodabniają. Podsycał jej paranoję, przywożąc z Polski gazetowe wycinki o antyżydowskich wybrykach.

– Hanna, ty sobie wyobrażasz, oprotestowali nadanie imienia Brzechwy szkole podstawowej? – Nie mógł powstrzymać oburzenia.

Dawid przynosił mu do czytania książeczki z wierszami Tuwima i Brzechwy, zasypiał przy nich. Inne mogły mieć ładniejsze obrazki, rozkładane, grające. On wolał te; rytmiczne, mówione mu po którymś razie prawie z pamięci.

– Geniusz żydowskich poetów czy geny Dawida? – zastanawiał się wieczorem, siedząc z Dorotą na tarasie i popijając wino.

– Lubisz ich wiersze, on to czuje – znalazła prostszą odpowiedź, wypróbowaną w szkole.

Jego kolekcję zdjęć na cyfrówce zebraną dla Hanny: gwiazdy Dawida na szubienicy, Legia – Żydy, skwitowała jednym ujęciem zrobionym w Piasecznie przy szkole policyjnej. „Po co mi muzg jak mam Legię".

– Szymon, niedorozwoje są wszędzie i wypisują, co im do tych „muzgów" przyjdzie.

– Ale nie powiesz mi, że Polacy nie są antysemitami, Kościół jest. Wiem, co mówię, wychowałem się w zakrystii.

Dorota usiadła mu na kolanach.

W jej oddaniu tego wieczoru Szymon wyczuł coś z zadośćuczynienia. Za co? Pozbawione miłości dzieciństwo? Położyła jego ręce na swoich piersiach i kołysała się nad nim. Przyjemność zakurczała jej ciało, zaciskała powieki. Jednym pociągnięciem ułożył Dorotę pod sobą. Pozwalał odpocząć i popychał dalej, do przepaści samej siebie. Krzycząc, trzymała go mocno za szyję. Paznokciami wczepiała w ramiona.

Szymon panował nad nią. Gdy miał orgazm, Dorota przeżywała drugi. Łagodniejszy, jak surfer po załamaniu fali załapujący się na mniejszą, do brzegu. Zasnęła odkryta.

Sprawdził w ciemnościach telefon, czy dzwoniła Hanna. Nasłuchiwał syren pogotowia albo policji wracającej do bazy ulicę dalej. Zapalił lampkę, skierował ostrożnie światło w swoją stronę. Przeglądał gazety. Wynikało z nich jedno, to samo co w Izraelu przed wyborami: „Weź udział w demokracji, wybierz swojego ulubionego kretyna". Nudziły go głupkowate artykuły.

Rozpraszała nagość Doroty. Nie miał jej nigdy dość. Nie potrzebował viagry ani prozacu. Tabletek imitujących zapał młodości razem ze złudzeniem, że kocha się życie, pragnąc pięknej kobiety.

Dorota przestała miarowo oddychać, zmrużyła oczy od światła.

– Zobacz, jak pasujemy. – Przysunął się.

– Do czego? – zapytała sennie.

– Do siebie.

– Bardzo – zamiast zgody była przekora.

– Coś nie tak? Źle ci było?

– Po polsku pasować znaczy też wycofać się z gry.

– Wiem. – Nie zapomniał.

Nie rozumiał jej intencji. Podejrzewa go? Zdarzyło się coś, o czym on nie wie, z nią samą?

– Nie to miałem na myśli. Po prostu pasujemy do siebie. Ciałami, jest chemia...

– Szymon. – Wsunęła głowę pod jego ramię. – Coraz mi trudniej bez ciebie.

Policzki miała znowu zarumienione.

– Doreńka, moja mała, wytrzymaj, jeszcze trochę.

– Wiem, bądź sama i silna. Dla mężczyzny pierwsze słowa dziecka, kroczki, ząbki nie są ważne.

– Dla mężczyzny może nie, dla ojca bardzo. Mnie, myślisz, nie jest ciężko?

– Twój zawód mieć ciężko, znasz techniki przetrwania. Ja świruję.

– Co się dzieje?

– Nic. Przed twoim przyjazdem sprzątałam w szafach. Wyjęłam letnie sukienki... i są identyczne.

– Mają różne kolory... są krótsze. – Przypominał sobie, w co ostatnio była ubrana, jej długie nogi.

– Wszystkie mają kieszenie. Innych nie kupuję. Na spacerze, w domu trzymam w nich telefon... Nie dzwoni, ale ja go trzymam, jak ciebie za rękę.

– Wezmę urlop.

– Na ile?

– Tydzień... dwa.

– Kiedy?

– Za miesiąc.

– Nie musisz. – Zasłoniła się włosami i jeszcze mocniej przytrzymała jego ramię.

– No dobrze, a co muszę, kochanie?

– Nic nie musisz, jesteśmy wolnymi ludźmi. To, że płacisz na Dawida i mieszkamy u ciebie...

– Przestań. Nie mieszkasz u mnie. Jesteśmy rodziną. Jeszcze parę lat i się pobierzemy.

– W kościele? – Nie była wierząca, przynajmniej nie w Kościół, chociaż ochrzczona i po komunii.

Wierzyła w coś, w Boga, siłę wyższą i święta. Na Wielkanoc święciła koszyk, w Boże Narodzenie chodziła śpiewać na pasterkę.

– Dlaczego by nie ślub kościelny. Wiem, jak to się robi, służyłem do mszy.

Pomyślał, że katolicki ślub byłby wyjściem. Uniknąłby bigamii, nie pobierając się urzędowo? Nie ma co zastanawiać się nad przyszłością, wystawiać się jej na cel. Dorota marzy o białej sukni, on jest od spełniania marzeń. Dom, dziecko, miłość. Nie tego potrzebowała, gdy się poznali? Sfrustrowana szkołą, porzucona przez młodego dupka, bez pieniędzy.

– Więc zgodzisz się na chrzest? – Odsunęła się, spojrzała mu w oczy.

O to chodziło... Zaskoczony sprytem Doroty nie mógł zebrać myśli. Podziwiał jej pokrętną, kobiecą inteligencję i nienawidził. Dał się znowu wmanewrować w obrzędowy cyrk. Ochlapać czy poobcinać, co za różnica. Jego przy tym nie będzie.

– Dorotko... jak to sobie wyobrażasz?

– Normalnie, chrzest, przyjęcie. Poczekamy na twój urlop, w sierpniu... Pytałam księdza, możesz być innego wyznania.

– Nie jestem innego wyznania, ja nie wierzę.

– Edek, ksiądz Edek, wiesz, ten od scholi – Dorota zaprzyjaźniła się z nim, prowadząc szkolny chór kościelny – powiedział, że w chrześcijaństwie winy ojców nie przechodzą na synów. To już nie te czasy... – Przewróciła się na brzuch.

– Inkwizycji?

– On jest bardzo w porządku, normalny facet.

– W sukience.

– Okej, transwestyta z powodów religijnych. Ważne, że po znajomości ominiemy kruchtę.

– Skąd ten pomysł, po dwóch latach?

– Chcę zrobić mamie przyjemność. Nie może się pochwalić sąsiadkom zdjęciem wnuczka z chrztu ani córki ze ślubu. Poproszę Irenę i Gugla, nie masz nic przeciwko? – Zgasiła światło.

– Dorotko – udawał akcent jidysz. – Ben Laden nie miałby z twoją mamą szans ze swoim fanatyzmem, a co dopiero ja, niewierzący Żyd – rozśmieszał ją.

Wolał nie rozmawiać o tym pomyśle. Zostawi chrzest Guglowi. Ten nadawał się do wszystkiego. – Szymon nie miał wątpliwości, dlatego dał mu pracę. Spełni każde życzenie „Dorotki".

Irena za to zrobi wszystko, żeby siostrę pognębić.

W ciemnościach przeciąg poruszył otwartym oknem. Smuga światła odbijająca się w szybie była podobna do błysku grubych szkieł okularów Ireny. Szymonowi wydało się, że siostra Doroty zagląda przez okna, wtrynia się im do domu.

Na pewno ona podkręciła matkę i obie wymusiły na Dorocie chrzciny. Przyjadą z Ostrowca ją buntować. Dwugłowa – pomyślał o matce, gdy spotkali się w porodówce. Nad poszarzałą, pobrużdżoną twarzą kobiety doświadczonej, niemal doświadczalnej w swoim polskim życiorysie – wojenne dzieciństwo, bieda, mąż pijak, samotne wychowywanie dzieci – unosiła się błyszcząca od lakieru druga głowa uwita z włosów. Spod nastroszonej, nienagannej trwałej – fryzury pomnika wypicowanego na połysk heroizmu walki o siebie i innych – wyzierały wąskie oczy. Półprzymknięte zmęczeniem przyglądania się od lat kurewstwu tego świata.

– Przepraszam. – Szymon minął w porodówce zaporę jej zwalistego ciała przyjmującego pozycję miękkiej obrony przed napastnikiem.

Przepuściła go do łóżka córki:

– No proszę, kogo my się wreszcie doczekały, spóźnionego tatusia.

– Samolot nie wystartował. – Pocałował w dłoń wycieńczoną porodem Dorotę.

Dawida widział przez szybę, na rękach pielęgniarki. Miała go wkrótce przynieść do karmienia.

– Z której wojny się spóźnił nasz bohater? – Irena docinała mu za tajemnicę służby wojskowej.

Jej okropne okulary, denka w oprawce wziętej chyba z sanktuarium ojca Kolbego: czarne, okrągłe i ciężkie, były zasłoną chroniącą ludzkość przed spojrzeniem jędzy.

Dorota śmiała się, kiedy razem wspominały dziecięce okrucieństwa siostry.

– Podbierałaś rodzicom drobne i nastraszyłaś mnie, żebym im nie powiedziała, pamiętasz, Irenka?

– Mhm. Zaprowadziłam cię do rzeźnika, żeby pokazać na hakach różowe kiełbasy: „Tak kończą skarżypyty. Nie wierz w jedynaków. Ich młodsze rodzeństwo tu wisi. Zwłaszcza dziewczynki są głupsze: krakowska, szynka, polędwica". Poskutkowało. Mogłam sobie kupić rajstopy kabaretki.

Szymona nie dziwiło, na co Irena wydała ukradzione rodzicom pieniądze. Inwestowanie we w miarę zgrabne nogi było jedyną szansą dla krótkowzrocznej grubaski. Ale przekonywanie jej do tego, że można być szczęśliwą, byłoby namawianiem kreta do zalet słońca i witaminy D – Szymon zrezygnował już dawno z dyskusji. Ona miała swoje niepodważalne poglądy: ludzie są fałszywi, miłość i szczęście to mamienie. Ważne są konkrety w rubryce: jest, nie ma.

– Dorotka, nasza utalentowana Dorotka. Wiedziałam, że wywinie numer – przyznała przy pierwszej wizycie w Piasecznie. – Ale żeby do Warszawy i taki dom. Z mojej pensji nie kupiłabym jednej kanapy. – Rozsiadła się, zakładając nogę na nogę. – Skórzana? – Pacnęła otwartą dłonią bok mebla. – Wypchana skóra z krowy kosztuje więcej niż urzędnik magistratu, moja roczna praca.

Szymon zastanawiał się, czy jej nie poznać z Fisherem. Jego poczucie społecznej sprawiedliwości było bardziej wyrafinowane, ale miał na to środki. Irenie przydałby się sponsor „równościowych" poglądów.

Wyciągnąłby biedną z mentalnej prowincji. Olśniłby ją: Zachód słońca na Florydzie, Irena w zwolnionym tempie zrzuca ubranie, zakłada pływackie okulary. Razem z Fisherem docierają do Key West, wyspy bogaczy. Otaczają kąpiących się milionerów. Wciągają ich na dno, dobijają, waląc po głupich łbach tomem *Kapitału* Marksa. Zmęczona Irena łapie stopa, wystawiając zalotnie nogę. Przepływa łódź podwodna. Nie wycieczkowa, to wojenny U-Boot. Esesmani uciekający do Ameryki Południowej. Otwierają właz dla naiwnej. Za nią płynie i krzyczy bezgłośnie Fisher. W bąblach powietrza pojawiają się komiksowe napisy, po hebrajsku, po polsku.

Szymon obudził się z niedorzecznego snu. Fisher nigdy nie pozna Ireny ani Doroty. Wydałby go.

Znajomy kościelny zapach kadzidła i czegoś, co w dzieciństwie wydawało się Szymonowi domowe, a było wyszorowaną na kolanach pustką.

– My do księdza Edka. – Dorota w barwnej spódnicy, rozgrzana słońcem, wciągnęła za sobą do zakrystii skrawek wakacyjnej ulicy.

– Ksiądz Edward wyszedł z posługą. – Zza czarnego biurka zajmującego ścianę pod oknem odezwał się starczy, niemal urażony ich beztroską głos.

– To poczekamy. – Cofnęła się.

– A z czym?

– Chrzest. – Uśmiech w ustach Szymona był jak pet do wyplucia.

– To proszę, proszę. Załatwimy formalności, szybciej będzie.

Usiedli przed czarnym biurkiem pośrodku kancelarii. Szczupły, siwiejący ksiądz wyjął z szuflady księgę i otworzył pudełko fiszek.

– Kogo chrzcimy? – Zdjął skuwkę ze złotego pióra.

– Synka. – Pokazała na śpiącego w wózku Dawida. – Najlepszy byłby pierwszy tydzień sierpnia.

– Pani?

– Nasz – odpowiedział za nią Szymon.

Ton księdza zwracającego się tylko do Doroty wydał się mu napastliwy.

– Nie za stary?

– Ma dwa latka. – Wychyliła się, odgradzając Szymona od księdza.

– A co się stało, że dopiero teraz? Nazwisko.

– Nie było okazji, Sikorska.

– Syna.

– Golberg. Dawid Golberg – odpowiedział spokojnie Szymon.

– Nie jesteście małżeństwem? – Gładko wygolone

szczęki starego księdza zacisnął skurcz współczucia. Pióro zawisło nad otwartym zeszytem.

Szymonowi przypomniała się bzdurna Księga Żywota, zapisywana na Jom Kipur przez Boga imionami tych, którzy dożyją następnego roku. „Troska Wszechmogącego. – Spojrzał na księdza. – Zastępczy Pan Bożek z Piaseczna".

Szymon skupił się na pokrytej blond meszkiem szyi Doroty, jej odsłoniętych ramionach. Łapała powietrze nosem, pospiesznie, przerywanym oddechem, jakby węszyła niebezpieczeństwo. „*Nefesz* – tchnienie duszy w nozdrza, Bóg natchnął człowieka życiem" – mówił rabin po pogrzebie Saula. Wypastowane buty, wystające białe mankiety rabina, spod nich następna warstwa skóry ludzkich rąk. Szymon nie łączył wtedy części w całość. Nie mógł, jedna z nich, śmierć syna, nie pasowała do świata, w którym został.

– Jeszcze nie wzięliśmy ślubu. Dużo podróżuję. Musimy pozałatwiać papiery, jestem obywatelem Izraela.

– Ksiądz Edward wie, my... – Dorota mówiła tonem grzecznej dziewczynki. – Najlepszy byłby pierwszy tydzień sierpnia, z powodu wyjazdów właśnie.

– No cóż, dodatkowe zaświadczenia, potrwa... Nasz papież był w Izraelu... rok? Dwa lata temu. – Wycelował stalówką w fotografię Jana Pawła nad oknem udrapowanym zakurzoną kotarą.

Szymon milczał. Chciałby wesprzeć Dorotę, obezwładnił go jednak absurd rozmowy. Ksiądz domagał się od niego pielgrzymkowych wspomnień, zachwytu. Ale jedyne, co mu przychodziło do głowy, to transparent przyjaciół Miriam szykowany na spotkanie z papieżem

103

„Jan Paweł II, człowiek, który wierzy w Boga i nie wierzy w prezerwatywy".

– Ha, wspaniała pielgrzymka do Ziemi Świętej. – Ksiądz wsparł się łokciami o kancelaryjne biurko. Czerń jego sutanny była górą ze śnieżnym szczytem koloratki. – Przełomowa dla stosunków...

– Watykanu z Izraelem – dokończyła zdanie Dorota.

– Nasz papież ma tam przyjaciół z czasów szkolnych i jest szanowany, żaden papież nie pojechał do Ziemi Świętej.

– Rozumiem, że to ułatwi chrzest Dawida – uśmiechnął się Szymon. – Dorota jest z waszej parafii.

– Taaak, może byście się jednak pobrali.

– To jest warunek? – spytała nieśmiało.

– Nie, ale skoro nie ma przeszkód? Rozumiem, że nie ma?

– Poza tym, że jestem Żydem, nie.

Księdzu ulżyło, nie on pierwszy rzucił kamieniem, mówiąc „Żyd".

– Pani zdaje sobie sprawę... niby mamy nowocześnie, hulaj dusza! piekła nie ma, ale jest... za takie grzechy jest. Bez ślubu popełnia się grzech nieczystości.

Dorota obserwowała podłogę. Zapomniała, że przyjście do kościoła jest ścieżką wstydu dla niezamężnych kobiet z dzieckiem. I naraziła Szymona na kazania.

– Prosicie o chrzest, zobowiązujecie się więc wychować dziecko w wierze katolickiej. Jak to sobie wyobrażacie bez rodziny katolickiej?

– Nie mam nic przeciwko wierze katolickiej ani żadnej innej, jestem niewierzący.

– Ksiądz Edward wie. – Dorota znowu go przywołała, swojego patrona od spraw niemożliwych.

– To nie tak łatwo, hop-siup! Pani jest z parafii, ale u pana sprawy się komplikują.

– Nie zdążymy na sierpień? – Zaniepokoiła się.

– Niemożliwe, za dużo papierów do podpisania. Widział pan przed kościołem wieżę z półksiężycem?

– Minaret? – Szymon sądził, że to dziwaczna dekoracja albo disneyowska reklamówka.

– Jan Sobieski sprowadził do nas Turków, mieszkali w Piasecznie i się nawrócili.

– Gratulacje, przekonać muzułmanów. Ja nie zamierzam się nawracać. Nie będę przeszkadzał Dorocie, matce mojego, naszego dziecka...

– A co będzie, jeśli zmieni pan zdanie? Odrzuci ekumenizm? – Księdzu wydawało się, że zadał podchwytliwe pytanie.

Nie powiedział wprost o odrzuceniu chrześcijaństwa. Sugerował powrót do żydostwa. Dzięki takim jak on wierzę w inkwizycję – podłamał się Szymon. Losy Polski rządzonej przez wierzących za bardzo w Niebo, gorliwiej od Al-Kaidy, albo w kasę. Nawiedzeni albo przekupieni – cała historia tego kraju, mającego granice z Niebem i przekraczającego wszelkie granice w upadku do Piekła. Nic pośrodku, żadnej realnej Polski. Pamiętał ze szkolnych lektur targowicę i *Króla-Ducha*. Podkreślane kopiowym ołówkiem fragmenty z poplamionych przez starsze roczniki podręczników. Dostawał je razem ze znoszonymi butami, spodniami wypchanymi na kolanach.

– Inaczej rozumiem ekumenizm. – Szymon zakaszlał, zaschło mu w ustach od upału. – Bardziej... tolerancyjnie. Dla mnie ekumenizm nie polega na nawracaniu, dla mnie jest tolerancją dla różnych wyznań.

– Pan urodził się w Polsce?

– Tak, i byłem ochrzczony. Bierzmowany też.

– Więc nie ma przeszkód do ślubu kościelnego.

– Proszę księdza, przyszliśmy w sprawie dziecka – wtrąciła pojednawczo Dorota.

– Przecież mówię, jaką mam gwarancję, że wychowacie je w wierze katolickiej?

– Gwarancję się dostaje, kupując telewizor, za dopłatą na trzy lata – wyliczał mu Golberg. – My mówimy o wolnej woli, sumieniu, tak? Znam na pamięć *Credo*, po łacinie, *Pater Noster*, umiem odprawić mszę przedsoborową, mało?

– Szymon...

– Jestem Żydem. – Rozłożył bezradnie ręce, jeszcze szerzej, gdy zobaczył, że naśladuje krucyfiks. – Przypomina to księdzu kogoś?!

– Witajcie, kochani, zdążyłem. – Do kancelarii wpadł ksiądz Edward w rozpiętej sutannie. – Bardzo się spieszycie? – Myślał, że Szymon wstał i szykuje się do wyjścia. – Włączymy przyspieszenie, turbochrzest. Uff, co za gorąc. – Spadły mu przeciwsłoneczne okulary przy zdejmowaniu sutanny.

Pod spodem miał dżinsy i podkoszulek opinający wysportowany, trzydziestoparoletni tors.

– Ostatnie namaszczenie, olejek do opalania byłby lepszy, wzywają człowieka bez potrzeby.

– Do sakramentu chorych. – Ksiądz wstał od biurka. – Zmieniono nazwę, nie ma już ostatniego namaszczenia.

– Pewnie, po co ludzi straszyć, i tak się nas boją.

– Nie dość, ludzie nie dość boją się śmierci i piekła. – Wyszedł. Przesadną sztywnością nadrabiał słabość utykającej nogi. W korytarzu, kulejąc, pochylał się, składał na boki ułomne ukłony.

– A kogo my tu mamy? – Ksiądz Edek pocałował Dorotę w policzek. – Dawidek urósł, w sam raz do chrztu. Miło poznać. – W badawczym spojrzeniu oceniającym Szymona był moment czułej ciekawości, krótki, przeznaczony tylko dla niego. Nieodbity zainteresowaniem skierował się na jego przeciwsłoneczne okulary wystające z kieszeni marynarki. – O, mamy takie same – zauważył i speszony ich ceną usprawiedliwił się. – Dostałem w promocji. Niezawodne, prawda? Wytrzymają lata. Tytan, nie gniotsja, nie łamiotsja. Skonstruowane dla oblatywaczy. Ksiądz Józef to zgryzot, nie przejmujcie się.

– Nie mamy potrzebnych papierów, nie zdążymy... – Dorota oklapła na krześle.

– No coś ty? Do chrztu potrzebne jest tylko dziecko. Nie wierzysz księdzu Tischnerowi?

– Ja mu wierzę, ale trochę. Co ksiądz, inne wyznanie.

– U nas podobnie. – Szymon odetchnął.

Dobrze znał to uduchowienie czarnych, chałaciarzy. Trzymających się prawa albo naginających je do wyznawców i własnych słabości. Dorota była wdzięczna młodemu księdzu za ludzkie odruchy, względną normalność. Względną, bo Szymon, chociaż starał się poczuć do niego sympatię, nie miał wątpliwości, w jakiej sam gra lidze. Trzeźwych racjonalistów. Dla niego rabini, kapłani udają obsługiwanie czegoś, co nie istnieje – Boga, po to, by nie przejmować się tym, czego nie ma – ludzkiej przyzwoitości.

Czy siebie zaliczał do przyzwoitych? Jego alibi moralnym była wspaniała żona. Hanna nie wytrzymałaby czterdziestu lat z byle kim. Kochał ją i dbał, by nie dowiedziała się o Dorocie. Nie sprawiał Hannie niepotrzebnych cierpień. Tyle się działo poza ich świadomością i nie mieli na to wpływu. Cieszyć się, jeśli coś przynosi dobre skutki – dzięki Dawidowi i Dorocie pozbierał się, odżył.

Wyszli z mroku zakrystii.

– Taki miły człowiek, że nie miałem serca mu powiedzieć... – Szymon założył okulary.

– Czego? – Dorota rurką przebiła Dawidowi kartonik z soczkiem.

– Za ciężkie pieniądze kupił podróbkę.

– Też od razu zobaczyłam. On jest jak dziecko, niech się cieszy. – Wzięła go pod ramię.

III

– Nie rozumiesz? – Hanna odsunęła krzesło.

Usiadła naprzeciwko męża, po drugiej stronie kuchennego stołu. To nie było jej miejsce. Zazwyczaj siadała bliżej. Jednym klepnięciem uciszyła brzęczące radio. Poprawiła srebrny talerz winogron z półszlachetnych kamieni i bursztynu. Naczynia na stole były ułożone symetrycznie, idealne odległości między słoikami soli, przyprawami, butelkami oliwy. Harmonię zaburzał talerz Szymona z niedokończoną parówką. I on sam nierozumiejący tego, co Hanna pod jego nieobecność zaplanowała.

– Rabin Hirsch. – Palcami w pierścionkach przygładziła fałdę białego obrusu.

Szymon nie mógł ich nie porównać z długimi palcami Doroty dotykającej klawiatury.

– Chamuda, po co ci rabin? Powiedz wprost. Skąd ty wzięłaś rabina? – Zaparł się o stół, dodając sobie pewności. – Od Miriam? – Niepokoiła go wizyta córki.

To ona zmieniła Hannę. Napakowała jej do głowy szalonych pomysłów.

– Tak, od Miriam, i słuchaj: rabin Hirsch był już bardzo stary, wiedział, że umrze. Wezwał swoich zasmuconych

uczniów. Nie dawał im nauk. Zamiast ksiąg miał spako-
wane walizki. Niedługo Bóg wezwie mnie przed swoje
oblicze, powiedział. Zapyta, czy spełniałem wszystkie
nakazy. Odpowiem zgodnie z prawdą: Tak. Zapyta, czy
przestrzegałem zakazów. Powiem, że tak, każdego dnia,
każdej godziny i każdą myślą. Wtedy on zapyta o coś
ważniejszego: A czy ty, Hirsch, widziałeś moje Alpy? I co
ja mu odpowiem? Przed śmiercią jadę je zobaczyć, a wy
razem ze mną.

– Hanna, wycieczka w Alpy to nie wyjazd do Polski.

– Dam radę.

– Nie wątpię, wyjaśnij mi, po co, po co się tam pchać?
Ja muszę, ale ty? To straszny kraj. Murzyna zatłukli, bo
czarny, wszędzie antysemickie napisy, chce ci się na starość szarpać nerwy? – Odłożył widelec, wsunął do kieszeni drżące ręce.

– Uri Fisher jeździ latem na Hel i sobie chwali.

– Fisher, Fisher. *All inclusive* w piekle by chwalił.

– Każdy ma swoje piekło i Alpy. Moje są w Polsce,
powinnam zobaczyć rodzinne strony Lippmanów. Wy-
rastamy z grobów naszych przodków – dokończyła pa-
tetycznie.

– Chamuda, tam już nie ma żadnych grobów.

– Twojej rodziny nie. Moje zostały w Leżajsku. Znalaz-
łam w internecie, są. Sama bym nie pojechała, ale z tobą,
z Fisherem.

– On też się wybiera? – Szymon wziął ze stołu szklankę nany – herbaty ze świeżych liści mięty.

Zaniósł ją sobie do pokoju, gdzie stała jego jeszcze nie-
rozpakowana walizka.

Klimatyzacja szumiała na pełnych obrotach. Nadal
było duszno. Pociągnął za łańcuszek wentylatora pod

sufitem. Drewniane skrzydła rozpędzały się nad jego obolałą głową. Położył się na kanapie. Naganiane wiatrakiem powietrze omiatało mu spoconą twarz. Nie był pewien, czy przysypia, czy traci świadomość. W drewniane skrzydła wpisały się zarysy wirujących postaci: Doroty, Hanny, Fishera. Przesuwając się coraz szybciej, zamieniły się w jedną i groźny warkot rozsadzający myśli: Jak ich rozdzielić?

Turbiny silników samolotowych, hałas lotniska parę godzin temu. Billboard na Okęciu żegnający pasażerów: „W przestrzeni powietrznej jest teraz 500 000 osób", Gugel skomentował jednym zdaniem:

– Pół miliona i prawie żadnych wypadków, kurdede facto, bo nie prowadzą pijani idioci.

Dorota z Dawidem zostali w domu. Lotnisko było newralgicznym punktem wywiadu. Taka była wersja dla niej. Zasady bezpieczeństwa obowiązywały też Szymona: kręciło się tu za dużo NZZ (nieznajomych znajomych znajomych). Świat jest mały, mniejszy od Tel Awiwu. Ktoś mógłby Hannie donieść. Nie umiałby wytłumaczyć, skąd się wzięła atrakcyjna blond kuzynka całująca go ze łzami w oczach na pożegnanie. Nie miał w Polsce nikogo oprócz interesów i Gugla. W ostateczności mógł się ratować Holocaustem: odnaleziona rodzina.

Sam był ofiarą. Sierota osierocona przez własne dziecko. Wychowany przez Kościół na ateistę. Nie znajdował pocieszenia w religii odbierającej mu drugie dziecko. Trzecie, cud dany staremu Abrahamowi, ukrywał z musu, też przed sobą. Tak rzadko je widywał. Najgorzej narazić siebie na siebie samego – ocenił zbiegi okoliczności, sploty zdarzeń doprowadzające go do pokładania się z bólem serca na kanapie telawiwskiej willi.

Nie był w stanie się podnieść. Otoczony jedwabnymi poduszkami wybranymi z francuskiego katalogu przez Hannę mógł tylko rozmyślać.

Co go podkusiło opowiadać jej o kupieniu kamienicy?

– Chamuda, wyobraź sobie. Przedwojenna, w dobrym stanie, śródmieście Warszawy, ulica Chłodna.

Nie zmyślał. Powtarzał rozmowę podsłuchaną w samolocie. Wymoczek o wyglądzie śledzia z wódką ekscytował się przez telefon, zanim przerwała mu stewardesa.

– Cztery piętra. Ryzyko? – mówił po hebrajsku z rosyjskim akcentem. – Ceny się podwoją. Słyszysz mnie? Halo? Wybudują obok centrum handlowe. Za kilka lat to będzie warte pięć, sześć razy tyle. Cegła, do remontu. Naubanowi szczena opadła.

– Proszę wyłączyć! – Polska stewardesa może by tylko prosiła. Izraelska nie powtarzała, złapała za telefon.

– Zaraz, zaraz. Grunty wieczyste... – wołał do wyrywanej mu słuchawki.

Gdyby opierał się sekundę dłużej, wykręciłaby mu rękę. Już uginała zgrabne kolano na wysokości gadającej szczęki pasażera. Bez trudu zadałaby cios. Miała na to ochotę, z pogardy dla cherlawca i żeby rozprostować kości. Przetrenowana, nudziła się, zamykając bagażowe luki, roznosząc posiłki. Jedna z tych pięknych, militarnie sfrustrowanych dziewczyn, gotowych po kursie krav magi wyciągnąć facetowi pięścią jaja przez dupę.

Wiedział o tym od Sary, koleżanki Miriam z wojska. Latała El Alem. Wysportowana, zabawna. Potrzebując wolnych rąk do opowiadania o fanaberiach pasażerów, mówiła z papierosem w ustach. Zaciągała się i jednocześnie rechotała drażniącym, seksownym głosem. Jej

112

twarz w spoczynku przybierała zawodowo bezosobo-
wy uśmiech. Bez stanów pośrednich między wesołością
a smutkiem przechodziła do łez. Zwierzała się Hannie
z upokorzeń pracy stewardesy. Dostawała od niej maści
na nogi, tabletki uspokajające.

– Gdybyś była moją córką, radziłabym ci rzucić w cho-
lerę taką robotę.

Szymon nie pamiętał, czy Sara posłuchała Hanny. Miriam ucięła dawne znajomości. Przeniosła się do Jerozolimy. Jej rzadkie wizyty w domu wywoływały awantury.

Powściągliwa, ani słowa za dużo, włosy przyczesa-
ne, twarz wygładzona szacunkiem. Dybuk przebrany za
Miriam wypełniał przykazanie poważania rodziców z tą
samą gorliwością, co rytualne obmywanie rąk. To dopro-
wadzało Golbergów do szału po jej wyjeździe. Ulgę przy-
nosiła im kłótnia.

– Obcej doradzałaś, co zrobić, a własnej córki nie umia-
łaś w porę uratować przed świrem?!

– A ty gdzie byłeś wtedy, gdzie?! – Hanna trzaskała
drzwiami.

Szymon klął.

Po godzinach milczenia schodzili się w salonie. Otwie-
rali szafę z ukrytym w niej telewizorem imienia Ben Gu-
riona. Tak kiedyś palcem na zakurzonym ekranie napisała
Chamuda. Jej rodzice uważali telewizor za stratę czasu.
Przecież już Ben Gurion ostrzegał: Oglądanie telewizji od-
ciągnie ludzi od książek.

Nie przewidział, że przyciągnie do siebie nawzajem.
Szymon i Hanna godzili się przed ekranem, narzekając
na politykę, głupotę, denny program.

Ostatni przyjazd Miriam znowu wywołał burzę. Co
z tego, że Szymon był w Polsce. Hanna namówiona przez

córkę – bo kto inny podsunąłby jej równie niedorzeczną myśl – wybiera się do Leżajska.

– Nie wiem, czy to dobry pomysł... porozmawiamy po twoim przyjeździe – zaproponowała.

– Ale co? – Pilnował śpiącego w swoim łóżeczku Dawida.

– Nie, nic, takie moje marzenie.

Jechał z lotniska przekonany, że je spełni. Pierścionek z wystawy u Sterna? Proszę bardzo. Kolczyki? Wspominała niedawno o nowych perłach. Czuł się winny, on spełniał swoje marzenia w Polsce. Dawno nie byli na wakacjach, pewnie to wymarzyła sobie Hanna. Mówił, że ostatnio dobrze mu idzie... nie, nie da się namówić Fisherowi na „małą inwestycyjkę" w Miami. Nie stać go. Zawczasu przygotował więc sobie historię o kamienicy. Kupi, sprzeda, będzie pretekst do sierpniowego wyjazdu. Nie na chrzciny, zjawi się w Warszawie tydzień później, w połowie sierpnia.

– Chamuda. – Podniósł ją na progu. – Nie ma jak dom. – Pocałował i zajrzał przymilnie w oczy.

– Też cię kocham. – Była w tym serdeczność, ale i rutyna, pokwitowanie powrotu z podróży.

Podała mu ulubioną ogórkową, nalała wody do wanny. Nie zostawiła go ani chwili samego, opowiadając o kupionych na jesień cebulkach tulipanów – znalazła czarne, papuzie. Naprawdę są fioletowo-brązowe, mięsiste, piękne. Zwykłe tulipany pachną tulipanami, czymś wyhodowanym, te są inne. W kwiaciarni mieli nowe fikusy, amerykańskie, produkujące więcej tlenu, wzięła. A Karinie dała ostatnią szansę, biedaczka wychowuje sama chorą córkę.

– Chorą na co? – Rozbierał się, unikając odwrócenia do Hanny tyłem.

Nie był pewien, czy na plecach nie ma śladów po paznokciach Doroty. Przeglądał się dokładnie w lustrze przed przylotem. Mógł czegoś nie zauważyć, kobiety zwracają uwagę na najdrobniejsze szczegóły. Wystarczy zadraśnięcie i resztę dopowiada im intuicja. Ta cholerna, rozbuchana bezczynnością wyobraźnia trafiająca na zasadzie prawdopodobieństwa w sedno.

– Córka Kariny – Hanna zakręciła wodę – ma problem z krzepliwością krwi i w ogóle z krwią, to skomplikowane. Moim zdaniem przez jej męża, pracował przy reaktorze, napromieniował się.

– Radioaktywny alkoholik?

– Krócej powiedzieć: Ruski. – Rozbawiona chlapnęła go pianą.

Luksus kąpieli, wypłukiwanie zmęczenia. Zakryte roletami słońce, nawiew klimatyzacji ześlizgujący się z ciemnoniebieskich kafelków. W odremontowanej łazience została stara, poobijana wanna, pamiętająca dziecięce kąpiele Saula i Miriam.

Golbergowie nie byli sentymentalni. Byli humanitarni. Ich humanizm dotyczył najpierw rodziny, ona musiała przetrwać. Arka w potopie historii. W miarę możliwości wciągali do niej dalszych krewnych, przyjaciół, pacjentów, pokrzywdzoną ludzkość. Wanna, w której kąpali się schorowani rodzice Hanny, pływały dzieci, była ich prywatną arką. Zżyli się z nią, zostawili w niej siniaki poobtłukiwanej emalii. Wymiana na nową byłaby pozbyciem się domowego zwierzęcia z powodu starości. Pokryli ją białym silikonem. Nadal prześwitywał ślad zostawiony przez małą Miriam. Zapłakana od szczypiących w oczy mydlin rąbnęła butelką szamponu. Kiedyś butelki były szklane. Szymon wycisnął plastikową.

Namydlił głowę, Hanna spłukiwała mu pianę prysznicem.

– Pojadę z tobą do Polski w lipcu – zdecydowała. – Świetnie się składa: zobaczę kamienicę, będzie Fisher i uciekę od upałów. Wybralibyśmy się z nim nad morze na trochę? Jesteś zupełnie wykończony. – Uciskała mu ramiona. – Mięśnie kamień, rozluźnij się. – Masowała kark.

Odbijali się w lustrze. On nagi, ona w ciemnej sukience, z opaską ściągającą do tyłu włosy, zaciskała mu ręce na szyi, terapeutycznie. Tak się czuł, duszony dla własnego dobra. Nie uporem Hanny, ten znał i umiał się z nim targować. Nawet jeśli w końcu niekiedy mu ulegał, jak z pójściem na ślub Miriam.

Hanna się z nim nie siłowała. Oznajmiła spokojnie swoją decyzję i już była tam, w Leżajsku. Nikt nie mógł jej powstrzymać.

Szymon, obłożony poduszkami, zaczynał rozumieć, co przemieniło jego uległą, trzymaną na odległość od Polski Hannę. Determinacja, nie upór. Być albo nie być matki, babci, rodziny. Napędzał ją wyćwiczony pogromami, prześladowaniami instynkt przetrwania, jej i następnych pokoleń.

Z kuchni dochodziły odgłosy siekania nożem. Równo, mechanicznie.

Hanna szykowała sałatkę z bazylią i miętą. Dosypała posiekane tabletki. Szymon nie zgadzał się na większe dawki. Wrócił w okropnym stanie: zirytowany, smutny. Nie ma z nim kontaktu. Leży bez ruchu, tępo patrząc na wiatrak. Nieleczona depresja kończy się u mężczyzn alkoholizmem, jeśli mają skłonności. Szymon ma. Podróże do Polski rozpijają. Rosjanie – mąż Kariny, Polacy po jednych pieniądzach. Pojedzie z nim, przypilnuje, nie pozwoli pić.

Razem z tabletkami aptekarka dała jej tubkę nawilżacza.

– To co zwykle, Hanna? – Porozumiewawczy uśmiech zezowatej Debory.

Znają się od lat. Hanna, seksowna, zużywająca miesięcznie tubkę drogiego żelu bez konserwantów, podtrzymuje jej wiarę w życie seksualne po sześćdziesiątce.

Włożyła nawilżacz do szuflady w sypialni. Wyrzuciła nieużywany, zalegający od pół roku. Stracił termin przydatności. Stojący penis Szymona widziała w wannie. Podtrzymywany i unoszony wodą. Czubek dotykał powierzchni. Szpara cewki moczowej zalewanej pianą wychylała się jak usta topielca. Penis Szymona był bez życia. On sam jechał na jałowych obrotach. Napędzały go złość i smutek. Hanna dobrze znała męża. Doskonale wiedziała, ile potrzeba tabletek, by podtrzymać jego wyczerpaną psychikę. Wymieszała je z sałatką.

– Zamówmy jeszcze setkę – upierała się Ewelina.

– Może weźmiesz drinka? – Gugel nie po to zapraszał ją do restauracji, żeby upijała się chamską czystą wódką.

W ogóle miała się nie upijać. Przyszli porozmawiać o przyszłości, wspólnej. Dostał pierwszą wpłatę na zorganizowanie noclegu wycieczki od Fishera. Obietnicę większych zamówień, jeżeli dzieciaki wrócą zadowolone. Przejmie szkolną turystykę, zainwestuje i będzie żył dostatnio.

Bogactwo kojarzyło się mu z tandetą, nowobogackim sznytem. Nie marzył o garniturze od Hugo Bossa czy Armaniego. Wolałby spacer po Jerozolimie w chasydzkim kapeluszu, z pejsami, frędzlami. Ewelina w czarnej, długiej sukni u jego boku. Znalazłaby swoich żydowskich przodków, on nawrócił się na judaizm. Strój już miał, wisiał w biurowej szafie. Na półce kilka mycek: kremowa, czarna haftowana, kolorowe z atłasu.

Do restauracji włożył białą koszulę i czarne spodnie od chasydzkiego satynowego garnituru. Przymierzał go przed snem, z aksamitnym kapeluszem. Przesuwał rondo na tył głowy, bardziej do przodu. Zakrzywiał palcem nos i przyglądał się sobie z profilu. Byłby zamożnym kabalistą. Kimś, kto zna zasady, ale jest ponad doktrynę. Uduchowiony, biegły w różnych tradycjach, łączyłby chrześcijaństwo z judaizmem. Nie da się przecież wpakować w formułki dwustu czterdziestu ośmiu nakazów i trzystu sześćdziesięciu pięciu zakazów. On ma duszę, słowiańską, nieokiełznaną. To w nim uwiodło Ewelinę. Piła wódkę na cześć Dostojewskiego.

– Te dupki go nie rozumieją. – Odstawiła następny pusty kieliszek. – Daj zapalić – wyjęła mu z ust papierosa.

Za zostawiane tu ostentacyjnie napiwki dałoby się uzbierać miesięczną rentę Eryka. Zatrważająca liczba widelców i noży, rozłożonych przy pustym talerzu, przemieniała się w metalowe wykrzykniki niewiedzy.

Zwalisty kredens przystrojony słomą pobrzękiwał ułożonymi w piramidę szklankami. Ewelina poczuła się w swoim pomniejszeniu krucha. Była kryształem na etażerce kosmosu.

Pantofelki panienek zwisające przy wysokich stołkach barowych kończyły się kopytkiem obcasika. Wysokie, wiązane buty Eweliny miały solidną platformę. Prawda była ciężka, w fasonie czarnych buciorów miażdżących złudzenia.

– Mówię ci, nikt go nie rozumie. Zwrotem w biografii DOSOTOJEWSKIEGO – wykrzyknęła nazwisko-egzorcyzm przeciw zadowolonym z siebie gościom – nie była własna, odwołana w ostatniej chwili egzekucja. Egzekucja dała mu napęd do pisania. Ale nie sens. Gugel, sens jest najważniejszy.

– Bardzo. – Odwrócił się za kelnerem.

Ewelina piła wódkę małymi łykami. Dawno zamówili sznycel i kurczaka Marengo. Po czekadełkach: orzeszkach i chlebie ze smalcem, zostały okruchy. Ludzie tutaj wcale nie byli głodni. Przejadali pieniądze, drogie, udziwnione potrawy. W menu polecano grasicowe *consommé*, pieczone awokado na truflach.

– Rodzice Dostojewskiego przenieśli się z Litwy do Rosji. Ojciec był polskim panem, gnębił i gwałcił. Chłopi się zbuntowali. Złapali go, wlali siłą wódkę, litry. Skakali mu po brzuchu. Pękł pęcherz, narządy. I syn nie mógł go pomścić, nie miał za co. Za to nienawidził Polaków, za przemianę ojca w polskiego panka. Ukaranego okrutnie, sprawiedliwie przez rosyjski lud sprawiedliwy i prymitywny. – Zakryła usta w obawie przed beknięciem. – Śmierć ojca jest antyczną tragedią winy i kary, braku zemsty. Jej cień kładzie się na braciach Karamazow, o tym jest Dostojewski. – Odsunęła z wytatuowanego nadgarstka opadający mankiet koronkowej czarnej bluzki. – Bez tego nie zrozumiesz.

Gugel wypił z kieliszka Eweliny. Pijana mogła zażądać w domu bicia po brzuchu, deptania.

– Mojego ojca pamiętam w trzech pozach: czyta gaze-

119

tę, leży i ogląda telewizję, idzie do pracy – wyliczała na sztućcach rozłożonych wokół pustych talerzy.

– Jak to pamiętasz? Przecież on żyje.

– Co za różnica. Wyrzucał mnie z domu... i wtedy mówił. Coś... że jestem obrzydliwa, wymiotowałam z nerwów albo coś... nie pamiętam. Wyparłam. Idę siusiu. – Wstała niepewnie.

– Idź, idź. Ile można czekać. – Wyjął telefon.

Przesuwając się chwiejnie wzdłuż ściany, znalazła toaletę. Ukucnęła na posadzce w biało-czarne kwadraty. Zajrzała pod przykrótkie drzwi pozamykanych kabin. W każdej rozstawione kobiece łydki. Szczupłe, opuchnięte, lśniące pończochami albo balsamem. Dźwięk dyskretnego ciurkania moczu po muszli wyzwolił w niej dziecięcą ochotę sikania na komendę: psi, psi.

Pobiegła do umywalek, usiadła na najbardziej oddalonej od korytarza. Usłyszała spuszczanie wody. Musiała zdążyć, zanim ktoś wejdzie. Napięła z całych sił mięśnie. Zawinęła rękawy i spłukała żółtą, pienistą ciecz.

Z kabiny wyszła kobieta, stanęła przy sąsiednim kranie. Ponaciągana liftingiem myła starannie o wiele starsze od niej, pomarszczone dłonie. „Niepoddawanie się operacjom plastycznym jest współczesną socjopatią" – głosiła mina elegantki. Natarczywy wzrok Eweliny uznała za domaganie się opłaty dla sprzątaczki. Otworzyła malutką torebkę na łańcuszku i zostawiła jej w pustej mydelniczce pięciozłotówkę.

Gugel zniecierpliwiony uderzał nogą w pusty stolik. Kelnerzy obsługiwali rodzinne biesiady.

– Orzeł. – Ewelina podrzuciła swoją wytartą z mydła monetę.

– Głodny jestem.

– Zjadłbyś orła?

– Dlaczego, myślisz, są pod ochroną? Słowianie zjedli orły. Zachowanie plemienne, jesz i masz orli wzrok, siłę. Ostatni został na tacy, to zrobili z niej herb.

– Bujasz.

– Nie.

– Pójdziesz do spowiedzi?

– Dziecko jest najważniejsze – powtórzył za Dorotą.

– Odwiedzisz klatkę ze zboczeńcem molestującym ludzi pytaniami, jak się kochają i z kim?

– To smutne przeżycie w konfesjonale trzeba zaliczyć. Nie ma co wydziwiać. Depresja postchrystusowa trwa od dwóch tysięcy lat.

– Gugel, nie mów mi, że jesteś wierzący, tyla. – Pokazała palcami odległość centymetra.

– W pierdóły nie. Pogadaj sobie z Dostojewskim.

– Dobry związek polega na zrozumieniu. – Opuściła głowę.

Gugel przełknął ślinę, by nie zapytać o stopień porozumienia z lewitującym psychicznie Erykiem.

– I mieszkaniu razem, na przykład – zaryzykował. Nie był pewien, czy z nią wytrzyma. Ale wspólna męka wydawała się lepsza od zazdrości. – Wprowadź się do mnie, wynajmę dwa pokoje.

– Czasu ci nie szkoda na czytanie Biblii? – Nie podnosząc na niego wzroku, była nadal w swoim świecie.

– Ewelina, wróć w realia. Co Chrystus dwa tysiące lat temu miał powiedzieć rybackim wiochmenom? Jedzcie i pijcie jest dobrym komunikatem, dobrą nowiną. Kto by zrozumiał: Przenieście się w inny wymiar.

– Wierzysz w inny wymiar? Geometryczny? – Miała u Eryka piątkę z geometrii nieeuklidesowej.

– Duchowy.

Do sali wszedł chłopak w czerwonym podkoszulku dostawcy pizzy. Pod pachą niósł kask, przed sobą kartonowe pudełko z przyklejonym rachunkiem.

– Ile się należy? – Gugel miał już przygotowane pieniądze.

– Proszę! – Ewelina dołożyła pięciozłotówkowy napiwek.

– Pan wybaczy! – Pojawił się kierownik sali, dopinając kamizelkę. – Nie wolno wnosić jedzenia – powiedział gospodarskim, sumiastym głosem wydobywającym się spod blond wąsa.

– Właśnie nikt nam nie „wniósł jedzenia" od pół godziny, jestem głodny, po to przyszedłem do restauracji. – Gugel napychał się swoją porcją.

– My nie prowadzimy fast foodu, nie podgrzewamy w mikrofalówkach. Trzeba poczekać.

– Oni – Gugel wskazał okrągły stół, przy którym siedziała trzypokoleniowa rodzina – przyszli po nas i nie czekali.

– Państwo zamówili wcześniej stałe menu. – Przywołał kelnera. – Zabierz to. – Przesunął na brzeg stołu jaskrawy karton pizzerii. – Przynieś zamówienie.

– Zapłaciłem i mi smakuje. – Gugel zapalił papierosa, wciągnął dym, odchylając się z krzesłem.

– Zapakuj panu na wynos.

– Zimna się zmarnuje. – Nie pozwolił sobie odebrać pudełka.

– Więc proszę wyjść z tym na zewnątrz.

– Czy ja jestem pies?

– Nie obsłużymy pana tutaj.

– W demokracji każdego się obsługuje. – Ewelina wstała. – Idiotów też, a my sobie sami poradzimy. Gugel, chodź. – Wzięła pizzę na talerzu.

– Dopisać talerz? – upewnił się pryszczaty kelner, wycierając o czarny fartuch spocone z nerwów ręce.

– Tyle za wódkę? – Zaglądając mu do rachunku, Ewelina zahaczyła o kredens. Nie mogła złapać równowagi, potrąciła piramidę naczyń. Kelner odepchnął ją od szklanych odłamków, na które upadała.

– Nie będziesz jej bił! – rzucił się Gugel.

Kelner w obronie bezładnie zasłaniał się pięściami. Niechcący uderzył Gugla w oko.

W sali zrobiło się cicho. Stukot sztućców zamierał. Przedziałek między rzadkimi włosami kierownika spurpurowiał. Struga czerwieni rozszerzyła się na twarz, zalała podwójny podbródek.

– Proszę wyjść! – szepnął, zasłaniając sobą kelnera. – Wyjść!

– Dorota? – Gugel nie był pewien. Telefon wyświetlił jej numer, głos inny. Na drugiej linii miał rozmowę ze szkołą z Pomorza. – Zamawialiście Wieliczkę. – Wymazał ze ściennego kalendarza w biurze zarezerwowaną datę. Przełączył znowu Dorotę. – Jesteś chora? – Ledwo ją słyszał, wycierała zakatarzony nos. Przełożył słuchawkę. – Koszty, panie dyrektorze. Zamawialiście Wieliczkę. Nie dojedzie do Częstochowy. Dokąd? Najdalej Warszawa. – Żonglował telefonem. – Dorota, przywieźć ci lekarstwa? Nie? Ty wzięłaś za dużo?

Nacisnął: rozłącz. Usiadł za skrzypiącym biurkiem. Położył na nim głowę. Była jednym z walających się po blacie śmieci. Zmiętych w kulę, pobazgrolonych notatkami kartek. „Za dużo, za dużo naraz" – podniósł się i zgarnął papiery do kosza.

Nocą obudził go Szymon z dziwacznym zleceniem szukania w centrum kamienicy. Nie do kupienia, do pokazania. Komu? Po co? „Uściśli szczegóły". Przyjedzie za tydzień, czyli już. Kamienica na *cito* – dopisał Gugel w notesie. U matki badania laboratoryjne miały dopisek *cito*. Łacina dawała trochę stoickiego dystansu do zwykłego „zapierdalaj z tym, ale już!". Odwiedź Dorotę, przebukuj terminy wycieczki. Popegeerowska szkoła zamarzyła o wyprawie na południe, ułańska fantazja, nie biznesplan. Benzyny im nie starczy ani na schronisko. Z jękiem otworzyły się poluzowane drzwiczki biurka. – I jeszcze Ewelina. – Domknął je nogą.

Wczoraj wykąpała się u niego. Weszli razem pod prysznic. Była pijana, jej kark i przystrzyżone czarne włosy zalatywały resztkami czegoś sfermentowanego, spoconą skórą, łupieżem. Chorobą Eryka? Wróciła do niego, nie została w biurze na noc.

Długie włosy Doroty zgarniały zapach kawy. Ucząc go fortepianowych pasaży, nie zauważyła, że Gugel ją obwąchuje. Wybierał dla niej perfumy, Szymon je tylko dawał. Ewelinie się nie podobały. Próbki były za słodkie i mydlane. Ona wolała mroczne.

Sprzedawczynie w kosmetycznym go uwielbiały. Kupował dużo i z kobiecym znawstwem. Wybredny w najlepszym gejowskim stylu.

Posmarował się próbką kremu pod opuchniętym od wczoraj okiem. Dorota była wyczulona na drobiazgi.

Mieszkała w lepszym, obszerniejszym świecie, gdzie mieściła się staroświecka wrażliwość.

– Hej! Heeejej! – Gugel otworzył mieszkanie w Piasecznie własnymi kluczami.

Nie odpowiadała na telefon ani uporczywy dzwonek do drzwi. Przeszedł przez salon, gdzie zawsze nadawało CNN, czasami z wyłączonym głosem. Telewizor martwy. Dorota w sypialni nie wstała z pościelonego łóżka, ciemno.

– Gdzie Dawid? – Pociągnął za sznur zasłon.

– Oddałam sąsiadce. Muszę się doprowadzić do porządku, mam godzinę. – Uniosła się na łokciach i znowu opadła, płacząc.

– Dorotka. – Wziął ją za rękę ściskającą papierową chustkę. – To był zły sen. – Usiadł przy niej.

Czujnie skontrolował liczbę tabletek na nocnym stoliku. Srebrny płatek z jedną wydłubką.

– Zły sen? Nadal jest. – Wytarła nos.

– Jest słoneczny dzień, zrobię ci śniadanie.

Rozpłakała się.

– Boże, jaki ty dobry. Nikt mi nie robił śniadania od nie wiem kiedy. Ja się zajmuję wszystkim, Dawidem, Szymonem... ile mnie to kosztuje? Nie mam siły, nie mam-aaa.

Śniadanie nie było z dobroci. Szymon za nie zapłaci – pomyślał zły na niego. Dorota sama odkryje prawdę. Nie spazmowałaby bez powodu, czegoś się już domyśla. Nie ma co się oszukiwać, żyjemy w epoce postfreudowskiej. Świadomość jest czubkiem góry lodowej. Jej reszta ukryta w oceanie nieświadomości dryfuje ku przeznaczeniu. Nie da się zaprzeczyć ewidentnym znakom, wpad-

kom i przejęzyczeniom zapowiadającym zderzenie z rze-
czywistością.

Szymon zawołał kiedyś do Dawida „Saul". Szybko zamienił to w „Salut mały". „Moja żona" wypowiedziane
przy Dorocie przerobił na obietnicę „Już niedługo". Śnia-
danko, pogadanko – Gugel zdawał sobie sprawę – nie za-
słoni Dorocie prawdy, przynajmniej nie na długo. U kobiet
topienie się lodowca niewiedzy widać po łzach. U nas –
po ilości wypitego alkoholu. Ewelina piła i nie płakała.
Psycholka.

– Wzięłam pół tabletki przed snem. – Dorota usiadła
na łóżku.

– Twoje? – Zsunął ze stolika rozsypane pastylki.

– Szymona, ja nie potrzebuję, jestem martwa wieczorem.

– To po co wzięłaś?

– Budzę się nocą od jego wyjazdu. Nie mogę zasnąć,
myślę o chrzcie, o nim... Ani zadzwonić, zapytać... – Wytarła oczy w wystające spod narzuty prześcieradło. – Niech
to – zauważyła zacieki. – Zapomniałam na noc zmyć maki-
jaż, niedobrze ze mną.

– Źle się czujesz, dzwoń do mnie.

– O trzeciej rano? Boję się, że wyślą go daleko albo za-
trzymają i nie zdąży na chrzest. Ile razy nie mógł... odwo-
ływał. Nie chodzi o mnie... mama, dla niej ważne. Rodzina, razem, wiesz...

– Matka jest jedna i wspólna. Ta sama dla każdego,
znam moją...

Jego matka miała starcze urojenia, niegroźne. Po czterdziestu latach stania za ladą warzywniaka nadal w swoim schorowanym umyśle wydawała resztę. „Nogi bolą
po pracy" – znajdowała przyczynę swojego przykucia do

wózka. Męczyło ją pranie, tarła brudy na nieistniejącej od pół wieku tarze. „Zobacz, synku, ręce mi odmoczyło". – Przyglądała się swoim dłoniom powykręcanym przez czas, którego nie pamiętała.

Matka Doroty, ze sprawnym umysłem, garsonką w pepitkę i torebką zawsze przyciśniętą do tłustego biodra niby czarną skrzynką kobiecości, uparła się zrealizować własne urojenia. Chrzest udowodni nawrócenie Szymona.

– Żydowskiemu wojskowemu nie wypada przyjąć wiary katolickiej – przytaczała znane sobie przykłady z komuny. Ochrzci syna, znaczy kocha Dorotkę. – To będzie przedślubie – bełkotem uświęciła swój wstyd.

– Obudziłam się i zrobiło mi się żal. – W profilu Doroty ślady łez okrążyły usta, powtarzając zarys uśmiechu. – Wolałabym się więcej nie budzić. Nie być. Zapomniałam o Dawidzie, o wszystkim... przestraszyłam się i zadzwoniłam do ciebie.

– To była pokusa.

– Pokusa?

– Odejść byłoby przyjemniej, niż zostać.

– Chyba tak...

– Nieprawda – kłamał.

Przemyślał to wcześniej. Ani empatia Buddy, ani miłosierdzie Chrystusa czy rozum Sokratesa nie dawały siatki ochronnej przed samobójem.

On sam już dawno powinien się zabić, z takim dzieciństwem i pechem. W liceum uratowało go pływanie. Tłukł codziennie kilkadziesiąt długości basenu, byle nie myśleć. Płyniesz? Nikt nie pyta cię dokąd, wiadomo, od ściany do ściany – argumentował sam sobie. Nie ma sensu zadawać pytań na wyrost, po co się żyje? Żyjesz, oddychasz, to umiesz. Samobój jest źle postawionym pytaniem – na studiach wsparła go logika.

Dorota nie zadała po koszmarnym przebudzeniu złego pytania. Było zupełnie o czym innym. Gugel słyszał w jej załzawionym, ale nadal mocnym głosie: *Give me a reason to be a woman*. Tego samego domagała się przebojem dziewczyna z Portishead, ulubionego zespołu Doroty. Niemen i Grechuta byli dla zabawienia Szymona. W samotności, przy winie słuchała normalnej muzyki.

Co jest normalne? – zastanawiał się Gugel. Zwierzęta przynajmniej nie myślą o śmierci. Boją się, ale nie myślą. Chrumkają, piszczą i rżą w poszukiwaniu przyjemności. U ludzi poszło po ekstremach, jak z ewolucją. Spadek po zwierzętach – jeść i rozmnażać się wykrzywili w hedonizm. Nie radząc sobie z przemijaniem, poszli w destrukcję. Zachlać się, sponiewierać, doprowadzić do rozpadu. Męska wersja ludzkości polega na wydobywaniu się z gówna i nałogów. Bohaterstwem jest sponiewierać samego siebie i siebie uratować. To najprostszy życiowy plan. Zwłaszcza w Polsce. Bohaterstwo Doroty polegało na obudzeniu się. Zje śniadanie i będzie żyła, bez wielkiego kaca i kroplówek.

Pomógł jej wstać. Boso poszła za nim do kuchni. Postanowił ją rozbawić.

– Mojsze złowił złotą rybkę, tę od trzech życzeń. – Gugel z łomotem wyjął patelnię. – Czy jesteś Żydem? – pyta go rybka. – Tak – mówi Mojsze. A rybka: – To już lepiej mnie zjedz.

Odwrócił się znad pieca. Dorota przy stole poprawiła koszulę rozsuwającą się na udzie. Wygięła grzecznie usta w uśmiechu, oczy smutne. Błyszczące od rozmazanego makijażu powieki zakrywały łzy.

Wstyd jest łuską prawdy – przyszło mu do głowy. Rybkę, złotowłosą Dorotę, pożera Szymon. Ona to wcześniej załapała i się nie śmieje. Nie ma z czego. „Jak żyć"? – źle postawione pytanie. „Dla kogo?" – zapytałaby Dorota. Dla Szymona, Dawida czy siebie. Jej nie było. Z kota *Alicji w krainie czarów* został chociaż uśmiech.

A ja z siebie robię głupka – Gugel rozbijał jajka o czoło. Jezus nie mógł zbawić śmiechem. Uratować ludzkości poczuciem humoru, bo nie każdy je ma, nie jest powszechne. Każdego za to boli wrzód na dupie, ząb albo dusza, to jest Kościół powszechny.

– Nie za mało przysmażone? – Podsunął Dorocie patelnię. – Gdzie podstawki?

Pokazała rozkazująco palcem właściwą szufladę. Wzruszała go jej kobieca rezolutność. Ona tu rządzi, wie, gdzie noże, widelce, ile dodać soli. Miksery, opiekacze są jej narządami kuchennymi. Wrosła w swój dom, pewna siebie i nadal bezradna. Zdana na Szymona. Pod jego nieobecność – na niego. Pomagał, pocieszał. Póki Szymon nie potwierdzi przylotu, nie ma prawa mówić o jego następnej wizycie. Z kamienicą nie wiadomo, o co chodzi, ale zna go i może Dorocie przysiąc:

– Przyleci wcześniej, niż myślisz, nie martw się...

Zacieraniem rąk, dobrodusznym pohukiwaniem na kelnerkę: Moja dobra, prawdziwe mocne espresso i miętową herbatę, nie macie ze świeżej mięty? – Szymon dodawał sobie otuchy.

Był przytłoczony nawałem nieprzewidzianych zdarzeń. Hanna w Polsce, nieodstępujący ich Fisher. W dodatku Gugel nie wywiązał się z zadania.

– Gdyby pasował byle jaki dom, gdziekolwiek, sam bym znalazł. – Oglądał przyniesione przez niego zdjęcia kamienic.

Założył ciemne okulary. Raziło go słońce, drażniło wszystko. Pianista przygrywający do niedzielnego podwieczorku. Biało-czarne kafelki na ścianach kawiarni w Bristolu. Wystarczyło uprzątnąć okrągłe stoliki, bufet i polać szlauchem kafelkowe ściany basenu. Byłby jeszcze bardziej na jego dnie. Zaraz będzie, jeśli Gugel nie znajdzie mu odpowiedniego domu.

– Potrzebuję kamienicy nadającej się do pokazania Hannie, rozumiemy się?

– Wiem.

Gugel nie dziwił się Dorocie. Szymon opalony, szczupły, w przeciwsłonecznych okularach nie wyglądał staro. Siwizna dodawała mu klasy. Mógłby być agentem w kasowym filmie.

– Znajdź mi pustą ruinę, byle w okolicach Chłodnej! – Denerwowała go powolność Gugla.

Jego niezawodny asystent, otępiały z powodu upału, działał na zwolnionych obrotach. Lipiec w Polsce wbrew przewidywaniom Hanny dorównywał temu w Tel Awiwie, trzydzieści parę stopni.

– Na Pradze by się znalazła, w centrum, kurdede facto, nie.

– A to? – Szymon wyciągnął zdjęcie ceglanej czynszówki z pozabijanymi dyktą oknami.

– Są lokatorzy.

– Dużo?

– Staruszki i rodziny z dzieciakami, u góry. Parter luz.

– Nie, nie tak to opisałem Hannie. Pusty dom, bez problemów – lokatorzy mogli przestraszyć się „sprzedaży".

Za daleko zabrnął opowieściami o kamienicy. Nabrałaby podejrzeń... z jej dociekliwością. Była wyczulona na krętactwa.

– Hucpa! – piekliła się. – Hucpa jest najgorszą z żydowskich wad. Ona nas zgubi. Zobacz tych hucpiarzy! – denerwowały ją „Mabat", telewizyjne wiadomości. Po swoich uczciwych rodzicach przejęła bałwochwalczy zachwyt Ben Gurionem, Goldą Meir. – Zamącić, udawać mądrego i włazić na świecznik – Hanna punktowała współczesnych polityków. – Houdini był największym żydowskim hucpiarzem, cudotwórcą. Zrobił z tego sztukę. Jeżeli takiemu Houdiniemu nie zawsze się udawało, to żadnemu zwykłemu Żydowi się hucpa nie uda. Rasizm to dla nas za mało. Na nas jest antysemityzm, bo nikt nie uprawia takiej hucpy jak Żydzi.

– Hanna... – Gładził ją uspokajająco po ramieniu.

– Wiem, wiem, ty jesteś dziecko Holocaustu. Żydów mordowano za bycie Żydami. Holocaust się skończył, Szymon, hucpa została i szykuje nam nowe nieszczęście. Nie podoba mi się, że wszędzie Żydzi są najlepsi, Greenspan, Madoff, Spielberg, Madeleine Albright, Havel.

– Woody Allen.

– Mówię o poważnych ludziach. – Kichnęła zdenerwowana. – Nie pajacach zdradzających żony z dziewczynkami.

– Co ma hucpa do znanych ludzi?

– Jak im się noga powinie, będzie na nas, na Żydów. A przez kogo? Przez hucpiarzy.

– Oj, Chamuda, nie masz innych zmartwień?

Stanowczo chciał jej ich oszczędzić. Zasługiwała na

spokojną starość, z Miriam i wnukami. Niech jedzie do Leżajska, odwiedzi groby, nasłucha się bajek o rodzinnych hucpiarzach-cudotwórcach.

– Szefie, znajdę dobry dom. – Gugel wypił swoją miętową herbatę.

– Masz dwa dni, Hanna wyjeżdża dzisiaj.

– Jest jeszcze sprawa... z Dorotą. Wygadałem się, że przyjeżdżasz. – Gugel odstawił pustą szklankę na spodek. Przestał drżącym kolanem podbijać od spodu marmurowy blat stolika. – Pomyliły mi się daty. Kamienica, Santa, Fisher i...

– Co?! – Szymon nie dowierzał.

Skrócił pobyt do trzech dni, przekonując Hannę, że to wystarczy na pierwszy raz. Poza tym on ma mnóstwo pracy, musi być w Izraelu. Gugel... miał opiekować się w tym czasie Dorotą. Wyjechać z nią za miasto, namówić na zakupy w galerii, byle dalej od centrum Warszawy. Kobiety są wyposażone w biologiczny radar. Zakochane namierzają swojego mężczyznę. Idą, nie wiedząc po co, gdzie, do celu. Zupełnie jak migrujące ptaki wyczuwające pole magnetyczne Ziemi.

Dorota odróżniała ptaki po śpiewie – Szymon zapamiętał jeden z pierwszych wspólnych spacerów do lasu pod Piasecznem. Kazała mu wsłuchać się w śpiew wilgi albo kosa. Miała na sobie krótką pomarańczową sukienkę, sandały. Wyjęła z plecaka roztopione batony i butelkę wody. Umazana czekoladą powiedziała:

– U ptaków w oku jest dodatkowa plamka. Widzą kolory niedostrzegalne dla innych zwierząt i ludzi. Może dlatego śpiewają? O tym, czego nikt nie widzi? – Zdarzało się jej mówić dziwne rzeczy.

Była zwykła i nieprzewidywalna. Żartowała, że nie wie więcej od niego, tylko więcej słyszy. Szkoliła się na pianistkę. Saul też więcej wyczuwał, niż umiał powiedzieć. Szymon nadal z nim rozmawiał, w myślach, bez słów, falami uczuć. Teraz wróciła fala wściekłości na jego brak i to, co od jego śmierci zaczęło się gmatwać. Przestało być oczywiste.

– Kurwa mać!!! Gugel, za mało ci płacę, że pierdolisz moje sprawy? – Uderzył o krzesło gazetą.

Za późno na złość, Dorota pewnie już czeka. Nie dzwonił do niej, nie wysyłał mejli. Rutynowe „zawieszenie" agenta, wsadzonego w misję *top secret*, odciętego od świata. Przećwiczył to już parę razy, wyjeżdżając z Hanną. Dwu-, trzydniowe milczenie. Przyda się na przyszłość, gdyby nie mogli się skontaktować. Dlaczego? Kto wie, co może się przytrafić, przypadek wbrew statystyce.

Przeżył getto. Kula w głowie Saula też przekraczała prawdopodobieństwo. Zdarzenia są nieprzewidywalne, jak kobiety, dlatego warto się przed nimi ubezpieczyć. Omijać kobiecą intuicję wyczytującą ze zwykłych zdań podteksty, z normalnej rozmowy – skrywane szyfry uczuć. Zakonnice miewały nadprzyrodzone, prorocze sny, Hannie i Dorocie sprawdzały się podobno przeczucia.

– Wie, że jestem? – Szymon był zdruzgotany.

– Od jutra, ale...

– Jakie ale? – Przyłożył do czoła zimną szklankę.

Nie wypadało rozpiąć koszuli. Wydawało mu się, że to nie on, ale dudniące serce zaczyna się pocić.

– Tak się złożyło. – Gugel zachował spokój. – W niedzielę będzie chrzest, nie odzywałeś się, więc cię nie uprzedziła, ja też nie wiedziałem... za dużo mam na głowie – wymierzał swoją sprawiedliwość.

Szymon nie planował przyjazdu w sierpniu. Nie powiedział tego wprost. Gugel zorientował się po wymijających odpowiedziach: na kiedy umówić księgowego z Santy, zabukować bilety. Obaj Dorocie kłamali. Szymon widział tylko dobrą stronę tego układu. Zadbanego Dawidka, zakochaną kobietę. On sprzątał po przedstawieniu. Ocierał łzy i zbierał szajs.

Golberga usprawiedliwiała miłość. Gugel robił to na zimno. Na zimno więc wykalkulował przesunięcie chrztu. Dorota załamałaby się nieobecnością Szymona. Ma wrażliwą, artystyczną duszę i koszmarną, małomiasteczkową rodzinę. Skopaliby ją mentalnie. Powtórka z „samobójczego" poranka nie wchodziła w grę. Namówił Dorotę na zrobienie Szymonowi niespodzianki. Przyspieszyć chrzest. Nie wiadomo, co będzie w sierpniu. Geopolityka, namierzyli coś w okolicach jaskiń Tora Bora, Hamas szykuje odwet. Więcej nie wolno mu powiedzieć. Dostała cynk, sama zdecyduje.

– I co? – Szymon przysunął się do stolika. – Pójdę na chrzest i wrócę do Bristolu? Zniknę?

– Jak agent. – Gugel przemyślał rozwiązanie.

– Odbiją mnie? Ucieknę oknem?

– Odwołają do kierowania akcją, tutaj w Warszawie. Nie ma lepszego wyjścia. Szef będzie kryty, gdyby spotkał Dorotę, i ja będę miał więcej czasu na szukanie domu.

– Gdzie? Przecież jesteś chrzestnym.

– To zabierze pół dnia.

– Pamiętaj... – Szymon wyprostował się gwałtownie.

Do kawiarni wchodziła Hanna, za nią Fisher. Przystanęli przy oprawionym w ramki autografie Marleny Dietrich.

– Dała jeden koncert w Warszawie, nocowała tutaj. – Jego donośny głos rozchodził się po pustawej sali, odbijał od kafelkowych ścian.

Widział występy Dietrich w Las Vegas. Widywał Marlenę, był wtedy młodym chłopakiem. Lubiła młodych. Wspierała amerykańskich żołnierzy przed wyruszeniem na front. Śpiewała dla nich, a potem... jej namiot był gościnnie otwarty. Lubiła też kobiety. Kto by nie lubił? – Fisher przymilał się do Hanny.

Gugel nie znał dobrze hebrajskiego. Las Vegas było zrozumiałe.

On i Szymon przy okrągłym stoliku, niby przy ruletce, mogą być hazardzistami. Hanna w letniej białej sukni, idąca lekko na wysokich obcasach, nie zna stawki obstawianej przez męża. A ten nie zdaje sobie sprawy, że gra o Dorotę, Dawida. To on, Gugel, jest codziennie odpowiedzialny za kochankę Szymona i dziecko. Martwi się o nich, przyjeżdża na każde zawołanie, współczuje. Robi więcej, niż mu płacą. Szymon ma zawsze Hannę, dom w Tel Awiwie. Dzieli prawdę swoim kobietom.

Gdzie, kurdede facto, między nimi jest? Gdzie jest jego prawda? Na przemian w Izraelu i Piasecznie, razem z nim? Prawda ruchoma jak ruchome święto uszczęśliwiające żonę albo kochankę jego obecnością. Gugel odwrócił się w stronę wchodzących.

Obawiał się uroku Szymona, uwodzącej delikatności dojrzałego mężczyzny, świadomego swojej siły. Jego niski głos dawał podkład „Możesz mi ufać" pod wszystko, cokolwiek mówił, pod krętactwa również. Gugel nie chciał osłabiać oskarżeń przeciw szefowi i słusznych pretensji. Podsycał je. Inaczej nie usprawiedliwiłby swojej nielojalności. Przeszedł na stronę Doroty, nie przeciwko Szymonowi. Po prostu też obstawiał – poczucie godności jej i swoje. Przestał być cieniem, uczniem wykonującym zlecenia. Marzył o podobnym do Szymona ojcu. Mając go, podobnie by się zbuntował. Freud był pod tym względem nieubłagany – Gugel pamiętał *Wstęp do psychoanalizy*. Konkurowali o tę samą kobietę, o jej szczęście. Szymon nieuczciwie, on bezinteresownie, może i z sympatii do Hanny.

Wstali, Szymon odsunął żonie krzesło.

– Witam – przywitała się z nimi jednakowo serdecznie.

Traktowała Gugla bez protekcjonalnych póz zamożnej damy z zagranicy, nie wpadała też w matczyne tony. Lubił ją. Jej odwagę wypisywania ciemnoczerwoną szminką egzorcyzmów przeciw starzeniu. Lekarka – roztaczała wokół siebie atmosferę bezpieczeństwa. Miała też nadal seksapil, co fascynowało Gugla. Jej sposób odrzucania włosów, krzyżowania nóg.

Działało to też na Fishera. W jego towarzyszeniu Hannie była nieskrywana adoracja. Guglowi kochającemu Kafkę kojarzył się z ulubionym pisarzem. Wariantem Kafkowskiego życiorysu, gdyby nie umarł przedwcześnie. Z dręczonego obowiązkami urzędnika bankowego zostałby podstarzałym bankierem. Bywałby w Ameryce, miewał dziwactwa, na przykład kolekcjonowałby owady. Nie arystokratyczne motyle Nabokova. On zbierałby galicyjskie karaluchy i te gigantyczne w Nowym Jorku. Mówiłby językiem sprzed wojny. Polski Fishera był przetartą kalką akcentu i słownictwa rodziców, którzy wyjechali

136

do Izraela ze Szmulek w pierwszym rzucie syjonistycznej emigracji przed wojną.

Rozmawiając o zorganizowaniu pobytu dla wycieczki syna, Fisher przechodził na biznesowy angielski.

– Co my tu mamy ciekawego? – Z wieszaka przy wejściu przyniósł gazetę oprawioną w drewniany kij.

Szymon otworzył swoją.

– Sprawdźcie pogodę. – Hanna zamówiła sok pomarańczowy, śniadanie zjadła z Fisherem w hotelowej restauracji. – Wygodniej jechać wieczorem.

– Bez przesady, będzie dwadzieścia pięć stopni i złapie was deszcz. – Szymon przejrzał prognozy.

– Pojedziemy przed południem, to nie trasa przez Negew. – Fisher wynajął samochód, kupił mapy Podkarpacia i przywiózł swój atlas świata w granatowej skórzanej okładce. – Z nim nie zginiesz w New York – podał atlas zaciekawionemu Guglowi. – I na zadupiu Nebrasca. Leżajsk też jest.

– Dobra mapa Warszawy. – Znalazł Polskę. – Zwiedzała pani Warszawę?

– Pani?

– Zwiedzałaś? – poprawił się.

Hanna poprosiła go o przejście na ty wczoraj, gdy zabierał ich z lotniska. Pytała o zdrowie matki, kamienicę.

– Obejrzeliśmy nocą Stare Miasto, pokręciliśmy się po Krakowskim – odpowiedział za nią Szymon.

– Tchórze – Fisher czytał artykuł z dużym tytułem: *Agonia Tybetu*. – Trzęsą się przed Chinami.

– Pieniądz z pieniądzem się dogada. – Szymon powiedział to do Gugla.

Tłumaczenie oczywistości Fisherowi nie miało sensu. Podobnie jak wchodzenie z nim w dyskusję o walkach wyzwoleńczych. Z bezpiecznej pozycji bogacza był po stronie uciśnionych – od Palestyny po Tybet i Grenlandię. Tam znalazł niezadowolonych Eskimosów.

– Co ma Dalaj Lama? – Hanna powstrzymała się przed ziewnięciem. – Nawet nie ma dywizji.

Gugel znał tę odzywkę Stalina lekceważącego papieża w starciu z komunizmem.

– Dalaj Lama ma buddyjską nicość – wtrącił się do rozmowy.

– Ni coś? – nie zrozumiał Fisher.

– *Hebel* – przetłumaczył Szymon.

Wolałby, żeby Gugel popisał się praktyczną inteligencją, znajdując odpowiednią kamienicę.

Czym ten niedogolony student przekonał do siebie Szymona? – próbowała odgadnąć Hanna. W Izraelu nie zadawał się z młodzieżówką. Młodzi komputerowcy, owszem. Jednotorowo myślący informatycy. Po nawróceniu Miriam nie tolerował rozgadanych intelektualistów. Uważał, że usprawiedliwią każde świństwo, uzasadnią religijne brednie. Z tego, co słyszała o Guglu, właśnie taki był, w dodatku praktykujący katolik. Nieśmiały, roztrzęsiony – jeden z tych źle opłacanych frustratów, którzy nocą rysują na murach szubienice i gwiazdy Dawida? Tacy są? Za godzinę wyjdzie z izolującego ją hotelu. Spotka podobnych, usłyszy w Leżajsku obelgi?

– Można wierzyć w nicość? – zapytała Gugla.

– Chamuda, my, ateiści, w nic nie wierzymy. – Szymon złożył gazetę.

– Ja wierzę w zdrowie – powiedziała poważnie.

– Zgadzam się. Zdrowie najważniejsze – potwierdził Fisher. – Roosevelt wprowadził ubezpieczenia zdrowotne. Wiecie czemu? Rosjanie ubezpieczyli swoje obywatele. Szpitale darmo. Jakiego masz wroga, taki jesteś. Wróg jest czasem bliższy od przyjaciel. Łatwo się zarazić. Komunizm kaput i co? Kto został? Ameryka z Chinami.

Przenikliwe, kafkowskie oczy Fishera, ptasia twarz zaokrąglona bilansem wieku i dostatku skłoniły Gugla do zadawania mu pytań. Iluzja rozmowy z ulubionym pisarzem była większa od ochoty na papierosa. Słuchanie go mogło przynieść też materialne korzyści: cenną informację o jakimś biznesie.

– Co Chiny zmienią w Ameryce? – Gniótł w kieszeni paczkę papierosów.

– Byłeś w Chinach?

– Nie.

– Muszę was zabrać do Chin. Stąd nie widać, z Ameryki jeszcze dalej. Miliard Chińczyki to miliard bakterii. Mnożą się i dzielą kapitałem. Nie ma moralność, sprawiedliwość i rozum nie ma. Pazerność jest. Amerykę pokona pazerność.

– Chiny nie przeskoczą Ameryki. – Szymon znał Stany nie gorzej od Fishera.

Dominację Chin nad światem uważał za jeszcze jedno bzdurne proroctwo.

– Kto mówi, że przeskoczą? Ameryka będzie Chinami, demokracja zginie od chciwość. – Przerwał mu telefon. – Halo, Joszka?

– Pójdę po torbę. – Hanna nie lubiła ich dyskusji.

Z wiekiem przestali się spierać. Jeden drugiemu udowadniał swoją przewagę. Rozmowy o przyszłości odsuwały werdykt, który ma rację. Który mądrzejszy umrze.

– Wyrzucili go z Krakowa. – Fisher trzasnął telefonem o stolik, przewracając filiżanki.

– Joszkę? – Szymon nie dowierzał, chłopak był

ugrzecznionym kujonem z hodowli przyszłych geniuszy. Wyjechali na klasową wycieczkę latem, szkoda im było zarywać rok szkolny. – Za co wyrzucili go z Krakowa?

– Zepsuli pokój. Zdemolowali, *fucking*.

– Aaaa, wyrzucili ich z hotelu.

– Znam branżę, nie znajdą nic w mieście po takim numerze. – Gugel słyszał o rozróbach izraelskich licealistów. – Nie mają czego tam szukać. Hotelarze ostrzegają się nawzajem. Kto dzwonił?

– Ochroniarz.

– Oni mają pozwolenie na broń. – Szymon wiedział o tym od Saula.

Po wojsku jego koledzy obsługiwali szkolne wycieczki. Polski rząd dał po cichu zgodę izraelskiej ochronie na wwożenie pistoletów.

– Nie sądzisz chyba, że będą trzymać hotelarzy pod karabinem. – Fishera nie bawiły w tym momencie żarty Szymona.

Zdenerwowany nie pamiętał o jego awersji do broni, śmiertelnym postrzale Saula.

– Wyobrażacie sobie kościelne pielgrzymki, Ziemia Święta i ksiądz z kałachem pod sutanną? – Golberg nie tracił humoru.

– To co innego, nie porównuj. – Fisher przeszukiwał w telefonie listę kontaktów.

– Czemu nie, Żydzi zabili Chrystusa. Nie dzwoń do Joszki, daj mu spokój.

– Muszę wiedzieć dokładnie, co się stało – przeszedł na hebrajski.

– Wiesz. Byłeś w Auschwitz. Po czymś takim nie wystarczy się upić. Są za młodzi, za bardzo przeżywają.

Gdzie mają odreagować? Nawet na dyskotekę ochrona im nie pozwoli. Nie dzwoń.

Fisher schował telefon.

– Trzeba coś zrobić. – Odwrócił się do Gugla, który z męki za papierosem zapętlił długie, chude ręce wokół nóg krzesła.

Szymon wiedział co. Był przeciwny wożeniu izraelskich licealistów do Oświęcimia, marszom żywych trupów. Wychodzili stamtąd jak z wykopanego dla nich grobu. Egzekucja na ich wrażliwości.

Muzyka, pierwsza miłość, zabawy i niewytłumaczalna zgroza. Musieli poszaleć. Ich agresja wzbudzała niechęć. Czuli to i jeszcze bardziej się nakręcali, szukając wroga, winnych. Szymon nie wchodził w spory z Fisherem. Nie miał kontrargumentów oprócz przekonania, że młodość i śmierć to zabójcza mieszanka dla sumienia. Co w zamian? Tak przekonstruować program świata, żeby na widok szafy nikomu nie przyszło do głowy: Tam można ukrywać ludzi przed ludźmi. Pod podłogą, w norach. Kiedy wychowa się wreszcie ludzi na ludzi, a nie na Żydów, Niemców, Palestyńczyków, Serbów, Polaków.

– Co się tak, Szymon, zastanawiasz? – zapytał go ze wschodnim zaśpiewem nauczyciel historii w klasie maturalnej.

Został po lekcji, żeby wytrzeć tablicę. Mokrą szmatą nasiąkniętą kredowym pyłem.

Miesiąc wcześniej dowiedział się od właściciela zakładu fotograficznego, jakie jest jego prawdziwe nazwisko, kim byli jego rodzice. Fotograf czekał z tym do pełnoletności Szymona. „Będzie dorosły, będzie wiedział, co z tym zrobić" – zdecydował. Przejął po Golbergach sprzęt i firmę. Szymon zobaczył klisze, zdjęcia swojej matki, ojca, wujków, babć, dziadków, ciotek, kuzynek. Wydawało mu się, że wszyscy Żydzi są jego rodziną. Dotąd był Polakiem. Nie wiedział, co z tym zrobić.

– Szymon, nie wiesz, kim jesteś? – Nauczyciel historii potrząsnął podręcznikami spiętymi paskiem.

Nosił je jak wiązkę drewna obwiązaną sznurkiem. Łatwiej było z niej wyjąć książki niż z torby zamykanej na klamerki. U obu dłoni zostały mu kciuki i po jednym palcu, reszta odmarzła na Syberii.

– To proste, Szymon. Uczyłem cię, wystawiłem ci na ostatni semestr celujący. Przypomnij sobie. Polacy mieli silne państwo, imperium Jagiellonów. W kilka pokoleń nie zostało z niego nic. Uchlewali się, walili głową w mur, byle nie myśleć. Nadal nie myślą. Żydzi nie zawinili swojemu cierpieniu. Byli jak Polacy, prześladowani, bez własnego państwa. Żydzi cierpią, Polacy nie myślą. Zastanów się, na ile cierpisz, nie będąc temu winien, a na ile wolisz o tym nie myśleć. Będziesz wtedy wiedział, kim jesteś, chłopcze.

– Makagiga, kugel, cymes – Hanna przeczytała menu leżajskiej restauracji Cadyk.

– Woda – Fisher poprosił kelnera.

– Co bierzemy? – Wachlowała się kartą win.

– Co jest? Karp po żydowsku? *Geltfish*?

– Czemu nie rosół? Wyrównasz temperaturę. – Przesunęła się na ławie w stronę otwartego okna.

Przeciąg unosił koronkowe, pożółkłe obrusy, haftowane serwetki. Zachodzące słońce przesuwało cienie po starych fotografiach z leżajskiego sztetla, rozwieszonych w nieszłużej, sklepionej łukami sali. Przyprowadził ich tu przewodnik z cmentarza. Szymon miał rację, zostało niewiele płyt nagrobnych. Odnaleziono macewę cadyka Elimelecha. Resztę potłuczono na bruk.

– Państwo z Ameryki? – zaczepił ich przy grobach zgarbiony człowieczek w czapce z daszkiem.

Kieszeń jego letniej koszuli obrywała się od wpiętej odznaki „Przewodnik licencjonowany".

– Trochę stąd, trochę stamtąd. – Fisher pokazał na bezchmurne niebo.

– Z Izraela – domyślił się przewodnik, wciągając wystającą szczękę. – Jafa?... Tel Awiw? – zgadywał, gotowy z każdym ich grymasem czy aprobatą zmienić kierunek nawigacji po ludzkich twarzach.

Wyprzedzając Hannę i Fishera na wąskiej ścieżce, z wprawą profesjonalnego natręta zmusił ich do słuchania objaśnień.

– Chasydzi przyjeżdżają w rocznicę śmierci cadyka, wiosną, z Ameryki, Izraela. – Minęli grupkę milczących pejsatych mężczyzn. – Kto wie, może w końcu uda się im wybudować hotel. Proszę za mną. – Poprowadził do widocznego z daleka grobowca Elimelecha. – W czterdziestym trzecim hitlerowcy rozkopali grób. Podobno ciało było nienaruszone, oczy otwarte. Od samego spojrzenia cadyka później poumierali. Cud jest ulubionym dzieckiem wiary...

– Mogę sobie wyobrazić te wzroki Lippmanów. Twój ojciec, Hanna, na mnie tak patrzył po wasz ślub... – Fishera bawiło wtedy uwodzenie młodej mężatki.

Niegroźne, dla rozrywki, wzdychanie i przynoszenie kwiatów pod nieobecność Szymona. Indywidualny romantyzm niezrozumiały dla totalnego romantyka – starego Lippmana, wierzącego w zbiorowe dobro kibucu. Ignorował odwiedzającego ich Fishera. Siedząc wieczorami na ławce przed kibucowym blokiem, groźnie poruszał krzaczastymi brwiami. Wystawały zza gazety niby włochaty peryskop dziwiący się temu, co widział i czytał.

– Pani jest z Lippmanów? – Przewodnik przystanął.

– Mój cioteczny praprapradziadek był bratem cadyka.

– Pani jest Lippman... – Zamyślił się, zakrywając usta palcami. Miał sygnet z wytartym herbem i obgryzione paznokcie.

– Już dawno nie. – Hanna poczuła się młodsza ze swoim dawnym nazwiskiem. – Golberg.

– Musicie odwiedzić Cadyka, najlepsza restauracja w mieście.

– Dobra myśl. Przed powrotem warto zjeść kolację. – Fisher nie lubił cmentarzy dowodzących perfekcji aerodynamiki śmierci. Wypadek, katastrofa.

Równie szybko i skutecznie atakowała od środka zatorem, podstępnym rakiem. Świadczyły o tym nagrobne napisy. Wolał czytać menu, wyniki giełdy.

Pierwszy skierował się do cmentarnego wyjścia. Na ulicy letni zaduch mieszał się ze spalinami rozklekotanych aut. Powietrze polane benzyną parzyło jak pożar. Nigdzie cienia.

– Tu był przed wojną sklep z perkalem. – Zgarbiony przewodnik szedł pomiędzy Hanną i Fisherem. – Klientki dostawały paczki przewiązane sznurkiem w kolorze sukienki. Za rogiem był kram Motła Reissa, jeszcze widać wyblakłe po szyldzie. – Skierował wystającą szczękę na mur przy banku. – Miał napisane: „Tu się kupuje szmyr, mydło, powidło i inne delikatesy, batogi".

144

Przy schodach restauracji Cadyk stała drewniana rzeźba chasyda. Przewodnik porozmawiał z właścicielem. Wypili wspólnie piwo.

– Tego się spodziewałaś? – Fisher oparł głowę o ścianę, rozłożył ramiona na długość oparcia sosnowej ławy.

– Mniej więcej. Mogę poprowadzić z powrotem, wymęczyłeś się.

– Wcale. Jechać z tobą to przyjemność.

– Niewiele ci, Uri, potrzeba. – Odgarnęła opaską opadające na czoło włosy.

Dwóch kelnerów w czarnych spodniach i białych koszulach postawiło przy nich srebrną tacę z kilkoma potrawami.

– Nie zamawialiśmy tyle – Fisher powstrzymał rozkładającego talerze.

– Gościniec, zakąski gratis.

– Zakąski? Wielka kolacja – sprzeciwił się. – To nie jest interes dawać ludziom darmo jeść.

Od baru ruszył do nich właściciel restauracji. Pod pachą niósł książkę.

– Proszę wybaczyć, nie przedstawiłem się – Kaszycki. Będzie mi bardzo miło panią i pana ugościć, można? – Przysiadł się. – Wielki zaszczyt przyjmować rodzinę cadyka.

Mówił powoli, z namaszczeniem, nie będąc pewien, na ile rozumieją polski.

– Cud, żeście państwo do nas trafili. – Przyłożył rękę do serca.

– Co o cudach mówił na cmentarzu przewodnik? – Hanna naśladowała teatralną służalczość właściciela restauracji.

– Że cadyk słucha próśb tych, którzy nie chcą za dużo. Pięknie tu – Fisher pochwalił przedwojenny wystrój.

– Odtwarzamy atmosferę i oczywiście kuchnię.

– Mmm – Hanna spróbowała ryby w galarecie. – Bardzo dobra.

– Żydowska kuchnia – pogratulował sam sobie właściciel.

Dał znak kelnerowi, by podał następne dania.

– Dużo macie gości? Poza sezonem? – Fisher nałożył sobie galarety.

– Nie narzekam. Ale tacy jak państwo są wyjątkowi. – Rozłożył księgę. – Nie chcę przeszkadzać... Pani przodkiem był cadyk Elimelech... Mam drzewo rodowe, zaraz, zaraz, Jakub Taub z Kaliw, Mosze Chaim, Lejb Zalman, Cwi... Podaj wódkę – zawołał za odchodzącym kelnerem. – Jest nasz Elimelech, tysiąc siedemset siedemnaście – tysiąc siedemset osiemdziesiąt siedem, i jego brat... pani rodzina z tej linii? – Przejechał długopisem w dół do rozgałęzionej linii Lippmanów w dwudziestym wieku.

– Nie ma tutaj moich rodziców. – Hanna zmrużyła oczy. – Jest babcia z domu Teitelbaum.

– Dopiszę. Nasza najlepsza pejsachówka. – Rozlał do małych, srebrnych kieliszków. Mrugnął do kelnera. – Zrób zdjęcie, będzie pamiątka i gdyby pani wpisała się nam jeszcze do księgi honorowej. Pan również. – Podał długopis.

Z głośników rozległy się pieśni w jidysz. Coś zachrzęściło, ucichły. Kelner za barem włączył płytę od nowa. Hanna nie wiedziała, który raz wznoszą toast. Fisher nie pił, musieli wrócić do Warszawy, rano miał samolot. Niepokoił się o Joszkę i dzwonił do Gugla.

– Chyba czas jechać, robi się ciemno. – Podniósł się ociężały od cymesu, zakąsek.

146

– Kawa i buteleczka na drogę. – Właściciel przetrzymał ich do ostatniego gościa.

– Uri, mój kac jest szybszy od upicia. Wychodzimy, niedobrze mi – Hanna była stanowcza.

Wyprowadził ją, odbierając ukłony i paczki na drogę.

W drodze do samochodu zaparkowanego na rynku musieli przystanąć. Hanna, zaciągając się powietrzem, podniosła wysoko głowę.

– Niedobrze ci? – zaniepokoił się.

– Uri, kiedy ostatni raz patrzyłeś w niebo?

– Niedawno, w samolocie.

– W samolocie, ale tak naprawdę, jak dawniej, wierząc, że stamtąd schodzą anioły.

– Hanna, jesteś pięknie pijana.

– Myślisz, że on widział anioły czy oszukiwał?

– Kto?

– Elimelech.

– Żeby zarabiać, trzeba wierzyć w co się robi – bez zastanowienia odpowiedział Fisher.

– Zobacz, a ja żyję.

– Hanna, ja też. – Objął ją.

– Mógł zrobić cud dla Saula.

– Jedziemy. – Postanowił działać, zanim pojawią się łzy.

Jej i jego. Kochał Saula, swoje żony – martwą i żywą w Miami, wszystkich pomordowanych z Leżajska i cadyka zabijającego wzrokiem. Noc, rozrzewnienie Hanny, cmentarz rozmiękczyły mu serce, mieszały w głowie.

Niemożliwe, żeby ktoś się na nich zaczaił. Zza rogu oderwały się od domu dwie ciemne sylwetki. Hanna uczepiła się koszuli Fishera. Spełniły się jej przeczucia. Dwójka bezbronnych Żydów i... Powstrzymywała kichnięcie. Łudziła się, że nie wydając żadnych dźwięków, pozostanie niezauważona.

– Rynek jest tam. – Większy, ze złamanym nosem boksera, pokazał im kierunek.

Wypożyczony w Warszawie samochód stał po drugiej stronie.

– Dziękujemy. – Fisher nie puszczał chwiejącej się Hanny.

Ciemną ulicą, po bruku przejechała taksówka. Obok przeszła para pchająca dziecięcy wózek.

– Pani Lippman? *Szalom!* – Z bramy, kłaniając się, wyskoczył ubrany we frak mężczyzna.

– Golberg.

– Naturalnie. – Skłonił się z szacunkiem. – Panie Golberg...

– Fisher.

– Ruczaj jestem. *Szalom, szalom!* Mam restaurację, od podwórka, Cadyk, prawdziwy Cadyk. Przedwojenna karczma była dokładnie tutaj, nie tam. – Machnął lekceważąco w kierunku, z którego przyszli. – Zapraszam na cymes, najprawdziwszy, najlepszą pejsachówkę, autentyczną.

– Dziękujemy, ale jest już późno. – Fisher czuł za sobą przepity oddech boksera i tego drugiego, wyższego, zalatującego słodkim dezodorantem.

Mężczyzna we fraku włożonym na biały podkoszulek nie wydawał się groźny. Hanna zauważyła u niego brak witaminy B. Wąskie usta poszerzały zajady nadające mu wyraz żałośnie uśmiechniętego Jokera.

– Są u nas pokoje, możecie państwo przenocować – zaproponował z entuzjazmem. – Po ciemku jechać? Sarna wyskoczy na drogę albo co...

– Dzik – odezwał się bokser. – Dużo dzików, z gór idą. Trup na miejscu.

– Serdecznie zapraszam, muzykę na żywo mamy.

– Napiłabym się mocnej herbaty, jest miętowa? – Hanna potrzebowała uspokoić ściśnięty emocjami żołądek.

– Miętowa, świeża, suszona i *koszer*, do wyboru – zachęcał.

Koszerna mięta? Fishera już nic nie dziwiło. Zachwycała energia kręcących się wokół nich ludzi. Żona właściciela podśpiewująca za barem i za własnym biustem. Umorusane dziecko raczkowało między czterema stolikami małej restauracji. Naganiający ich do prawdziwego Cadyka zagrali klezmerską muzykę. Bokser trzymał wiolonczelę, wyższy, w koszulce z jaskrawym napisem „Kamasutra", przebierał sprawnie palcami po klarnecie.

– U nas pije się z prawdziwych srebrnych kieliszków, u nich z posrebrzanych. – Właściciel dolewał pejsachówki. – Oszuści, od dwóch lat po sądach mnie ciągają. Tu jest Cadyk, pani Lippman, czuje to pani? – Wyfrakowany Joker podniósł ręce, przywołując na świadka zabytkowe belki sufitu.

– Golberg – poprawiła go.

– Wiem, pani Fisher. Serce ważne, serce nie szyld. – Uderzył się w podkoszulek między połami fraka.

Klarnecista przyklęknął przed Hanną i zagrał *Hava nagila*.

– Zatańczymy? – Fisher wstał, przytupując i klaszcząc. Przyłączył się do nich właściciel z żoną.

O drugiej nad ranem siedzieli wszyscy przy jednym stoliku. Bokser sfotografował Hannę całującą śpiące dziecko właścicieli, między nimi, samą. Fisher zabawiał ich opowieściami z wielkiego świata, z Ameryki.

– My będziemy spłacać kredyt dwadzieścia lat. – Joker otworzył następną butelkę. – O ile tamci nas nie wykończą. Strzemiennego! Na drogę. Ja tam wierzę w uczciwość.

– To zupełnie jak ci z Miami – Fisher opowiadał którąś już tej nocy anegdotę. – Trzech facetów sączy drinka na Floryda, nad basenem. Jeden mówi: Miałem fajny biznes w Chicago, mała fabryczka. Ale pożar był, dostałem ubezpieczenie, no i do końca życia w ciepełku. Drugi mówi: U mnie podobnie. Miałem magazyny pod miastem i też niestety poszły z dymem. Wylądowałem więc na Floryda. Trzeci mówi: Ja zainwestowałem w szklarnie... przyszła powódź, zmiotło, katastrofa. Na co oni zdziwieni: Powódź?! A jak ty zrobiłeś powódź?

– Fisher, a jak ty zdążysz jutro... dzisiaj na samolot? – Hanna potarła skronie. Senność i alkohol spowolniły jej ruchy.

– Zaprowadzę na górę. – Właściciel wziął klucze z szuflady przy kasie. – Wiosną miejsc nie starcza, przyjeżdża trzy tysiące chasydów. – Pocałował Hannę w dłoń. – Nie wiem, jak pani dziękować. – Podprowadził pod pokój i w pokłonach wycofywał się schodami.

– Śpimy razem? – zapytał Fisher w korytarzu.

– Ty śpij, ja bez umytych zębów nie zasnę. – Dotarło do niej w zwolnionym tempie, o czym mówił. – Co ci, Uri, po głowie chodzi?

– Nie po głowie, Hanna, oj nie po głowie. – Spełniał obowiązek uwodzenia atrakcyjnej kobiety. – Zawsze mi się podobałaś, wiesz...

– Seks jest kwestią wyobraźni. – Popchnęła go w stronę jego pokoju i otworzyła swój.

– Gdybym nie znał Szymona...

– To co? – Przymykała już drzwi.

– Trzeba mieć bardzo nieatrakcyjnego kochanka, żeby używać wyobraźni.

– Muszę oddzwonić. – W telefonie błysnął znajomy numer.

Zamknęła się w pokoju z dwoma łóżkami, stołem przykrytym ceratą i kapiącą umywalką.

– Chrzczę cię w imię Ojca i Syna i Ducha Świętego. – Ksiądz Edek polał główkę Dawida.

Znieruchomiały chłopczyk w białym garniturku stał na baczność. Podniósł nieśmiało rączkę i opuścił skarcony spojrzeniem babci. Dziecko w jej przekonaniu powinno mówić, nie machać łapami jak w cyrku. Irena, matka chrzestna, wytarła mu czoło.

Obie podzieliły się swoimi przemyśleniami jeszcze przed chrztem, czekając na księdza. Szymon, Gugel i Ryszard, wujek Doroty, usiedli w ławce przystrojonej sztucznymi kwiatami. Kobiety stanęły przed ołtarzem bocznej kaplicy piaseczyńskiego kościoła. Dudniący pogłos nadawał ich rozmowie powagi, jakby powtarzały ją pod tym sklepieniem pokolenia.

– Mój Boże, dwa lata czekać na chrzest, Dorotko, dwa lata. – Spod zatroskanego tonu matki wydobywał się triumf. – A gdyby coś się stało? Wzięłabyś to na swoje sumienie?

O sumieniu Szymona nie było mowy. On był Żydem i ateistą.

– Przecież nic się nie stało.

– Dla ciebie nic, dla matki jej dziecko jest bez wad – szepnęła Irena. – Dawid powinien już dawno mówić.

151

– Dwuletni chłopcy mówią pojedyncze słowa.

– Nie martw się – pocieszyła ją matka. – Po chrzcie się zmieni.

Egzorcyzmy pogłębione filozofią – Gugel nie miał wątpliwości, w czym bierze udział, trzymając świecę poowijaną białymi wstęgami.

Chrzest Dawida odbywał się dyskretnie, po niedzielnych mszach, w kaplicy pustego kościoła. Bez pompy katolickiej obrzędowości przypominającej Guglowi magiczny buddyzm tybetański. Kadzidła, świece, pokłony, kapłani wirujący w haftowanych szatach. On przechodził na abstrakcyjną stronę czystej wiary. Bez świętych figur i bez wzywanego nadaremno imienia Boga zapisanego hebrajskimi literami, lecz niewymawialnego.

– Chrzestni wyjmą szatkę – poprosił ksiądz.

Irena przyłożyła ją do śnieżnej koszuli Dawida wstrzymującego z przejęcia oddech. Jego uwagę zajęły kolorowe światła witraża. Przesuwały się po kamiennej posadzce. Poszedł kroczek za nimi. Irena przysunęła go z powrotem do siebie. Kalejdoskopowe barwy omiotły klapy białego garnituru i ścianę kaplicy. Czerwona plama z niebieską poświatą przesuwała się po dziecięcych pleckach. Nikt oprócz Szymona nie widział w niej celownika snajpera.

Załzawiły mu oczy. Emocje docierały do jakiegoś pułapu i nie przebijały wzruszenia. Łzy ciekły od nadmiaru światła. W półmroku kaplicy słońce cięło kolorowy witraż. Szymon miał błyszczące opiłki w oku. Piekło, musiał założyć okulary. Dawniej łzawiło na słońcu po wzięciu prozacu. Nie mówiąc Hannie, odstawił antydepresanty.

Po wpadce z kopertą i Kariną spuszczał je w toalecie. Nie miał pojęcia o kanapkach faszerowanych podwójną porcją tabletek.

– Pomódlmy się, kochani. – Ksiądz Edek stanął między chrzestnymi.

Matka Doroty popchnęła łokciem Irenę. Szymon, wojskowy twardziel, płakał. Zawstydzony założył ciemne szkła, spod których ciekła strużka. Jej modły do świętego Antoniego Padewskiego przyniosły skutek. Późny bo późny, liczy się efekt. Patron rzeczy zagubionych, beznadziejnych... i narzeczonych wysłuchał próśb. Boże, Szymon był beznadziejnym kandydatem na męża. Stary Żyd, nie wiadomo, co myśli. Kto wie, czy nie zrobił Dorocie dziecka, żeby mieć dokąd przyjechać po zniszczeniu Izraela. W gazetach pisali o groźbach Arabów, zrzucą na Ziemię Świętą bombę atomową. Dorotka też się martwiła, wojskowi mają poufne informacje. A tu, proszę, Szymon naprawdę kocha Dawida, rozkleiła go rodzinna uroczystość. Mężczyźni na uczucia reagują po swojemu – płynnie: spermą, skrytymi łzami, krwią przelaną w obronie kobiet, dzieci i kraju. Szymon przestał być w kaplicy obcy. Wstąpił do rodziny.

Wiem, czego chcę, czego nie chcę i ile jestem gotów za to zapłacić – powtarzał w myślach.

Czy naprawdę tego chciał? Pakowania Dawida w niedorzeczny garnitur przy letniej duchocie? Straszenia go księdzem smarującym i polewającym głowę. Maluch był dzielny, może dzielniejszy ode mnie – doszedł do wniosku. Ustąpił rodzinie Doroty z poczucia winy, dla świętego spokoju. Wbrew swoim zasadom zapłacił księdzu.

Kto jak kto, ale chrześcijanie nie powinni mieszać wiary z pieniędzmi. Kupowanie Boga kończy się tragicznie, na przykład Judasz.

Nie... Chrystus nie był Bogiem – wróciło mu wspomnienie siostry Innocenty. Jedynej w zakonie po studiach w przedwojennym Lwowie. Zamiast modlitwy opowiadała dzieciom przed snem bajki, czasem straszne, o Jezusie. W liceum, na lekcji historii, zrozumiał, że opowiadała o prześladowaniu heretyków, o wyobrażeniach ludzi, kim był Chrystus. Stąd wiedza Szymona – Jezus na pewno nie był Bogiem. Przynajmniej miał na tyle klasy. Niektórzy chrześcijanie też – zawdzięczał im ratunek, życie.

Zapłacił za chrzest Dawida i przyjęcie w domu. Dorota prosiła o jedną butelkę szampana, żadnego więcej alkoholu ze względu na młodszego brata matki – wujka Rysia.

Szymon miał do niego słabość, widział w nim artystyczną duszę. Zajął miejsce obok, częstując daniami zamówionymi w słynnej warszawskiej restauracji. Ryszard z wdzięcznością kiwał głową. Milcząc, zagarniał jedzenie nożem.

Matka Doroty pamiętała mękę uczenia go pierwszych słów. Urodził się z „króliczą wargą". Operacja nie przywróciła mu normalnego wyglądu ani nie doprowadziła do całkowitego zrośnięcia rozszczepionego podniebienia.

Po pracy w zakładzie samochodowym wyżywał się na organach. Kupił je od Czesława Niemena. Nie bezpośrednio, wygrał aukcję radiową. Schodził do nich do piwnicy. Nie znał angielskiego, udawał akcent, śpiewając po polsku. Dla dodania sobie natchnienia pił. Butelki miał ukryte w rurach grzewczych. Matka z Ireną hodowały go w swoim domu. Inaczej nie mogłyby tego określić. Ryszard słuchał poleceń, przebywał na powierzchni, biorąc regularnie kąpiel, jedząc przygotowane posiłki. Wyżywał się w piwnicy. Wolał śpiewać, niż mówić. Wstydził się jednak swojego śpiewu. Rozbrzmiewał skalą Niemena tylko w swojej wyobraźni.

W towarzystwie milczenie nadawało mu dystynkcji. Reperując samochody, skupiał się i naprężały mu się żyły na zapadniętych skroniach. Najbardziej lubił dłubanie od spodu, skulony w kanale. Wychodząc spod wozu, trzymał się prosto, z otępiałym wdziękiem ludzi popadających w manierę Korsakowa.

Wystrojony na chrzest poluzował krawat i przysiadł się do szampana. Pozwolono mu wypić lampkę.

– Symon – odważył się zagadnąć. – Sampan.

Podziwiał męża Doroty, przystojnego wojskowego. Nikt Ryszardowi nie powiedział, że ukochana siostrzenica nie ma ślubu. On ożenił się natychmiast z pierwszą, która tego chciała. Lekko upośledzoną wiejską dziewczyną. Zostawiła go po roku.

– Baba ze wsi wylezie, ale wieś z baby nigdy – pijany powtarzał zasłyszane od Ireny powiedzenie, nagrobne swojego krótkiego małżeństwa.

Irena umiała powiedzieć co trzeba. Sakrament chrztu uznała za sakrament zastępczy, łagodzący żydowskość Szymona. Jego łzy – za przepustkę do rodziny.

– Bo my jesteśmy rodzinni. – Naciągnęła na dekolt falbany tiulowej sukienki.

– Zimno się zrobiło, gdzie mój sweter? – Matka Doroty się skuliła.

– Przykręcę. – Gugel był najbliżej przełączników.

– Klimatyzacja jest niezdrowa. – Wiedziała, kto ją kazał zainstalować. – Lepiej otworzyć okno, wpuścić powietrza, mamy piękne polskie lato.

– Upał, mamo.

– Wyłączy się automatycznie. – Szymon rozsunął tarasowe okno.

Wolał mieć dokąd uciec. Nie znosił mizdrzenia się matki Doroty. Brała na kolana Dawidka i mówiła do niego w swoim mniemaniu dziecinnie. Szymon wychwytywał wśród czułych słówek – „kizia-mizia, no powiedz, mój słodziutki" – głos przyzwyczajony do służalczego cierpienia. W jej ckliwym zdrabnianiu była litość nad sobą samą. Na zewnątrz rozdmuchana tuszą i fryzurą, w środku drżąca dziewczynka. Przestraszona swoim losem wdowy po księgowym pijaku, siostry nieudacznika i matki córek bez mężów.

Ryszard poszedł za Szymonem na taras. Był wzruszony uroczystością; w kościele Dawidek się do niego przytulał, organista pięknie grał, a Dorotka od zawsze była jego królową piękności. Wypił drugą lampkę szampana. Wciągnął ją przez kolorową słomkę. Szymon podmienił mu pusty kieliszek.

– Irenka prawdę mówi, my jestesmy rocinni. – Siorbnął złamaną na pół słomkę. – Tylko jednoosobowi. – Pouczony przez siostrę, że ma nie zanudzać na chrzcie swoją pracą, usiłował powiedzieć coś o ludziach: – Ja, Bozenka, Irena. Dorotce się udało, ona jest dwuosobowa, jak ty, Symon. Mozes mi porać?

– Taak? – Szymon odebrał SMS-a od Hanny: „Dojechalismy. Lezajsk ladny".

– Bozenka mówi o mnie: alkolik, ja jej wieze, moja siostra. Nie ce być alkolikiem. Co psestać pić wódke cy piwo?

– Jedno i drugie.

Zaszokowany Ryszard gwizdnął, oddychając przez słomkę.

– Ile on pali? – zainteresował go kabriolet na parkingu.

Dorota przywołała Szymona. Najchętniej wyprosiłby gości, zostaliby wreszcie sami. Martwił się o nią. Przygotowania do chrztu, nerwy z powodu przyjazdu rodziny odbiły się na jej zdrowiu. Miała podkrążone oczy, kłopoty ze snem.

– Doruś? – Usiadł przy niej. – Sprawdzić, czy Dawid śpi?

– Mama do niego poszła.

Wskazała mu Irenę rozmawiającą ze znudzonym Guglem. Przed przyjazdem naczytała się o historii Izraela. Potrzebowała słuchacza.

– Elita władzy, Golda Meir, Begin, byli z Polski. Widzieli odradzanie się państwa i założyli własne.

– Tak, w sześćdziesiątym siódmym Polacy kibicowali Izraelowi w wojnie z Arabami. Mówili „nasze Żydki". – Gugel kroił sobie w talerzu sałatkę na mniejsze kawałki. Telefon i papierosy ułożył obok sztućców.

– Jesteśmy w pewien sposób rodziną... przyrodnią – Irena zastanawiała się, czy powiedzieć: z jednej ziemi.

– Coś podobnego jest, nie da się zaprzeczyć – Szymon powtórzył zdanie matki Hanny.

Lubił przysłuchiwać się rozmowom teściów. Schorowani, zniedołężniali, ona pod koniec życia na wózku, on ze sparaliżowaną połową twarzy, odradzali się i młodnieli, dyskutując w kibucowej stołówce. Polubiliby zadziorną Irenę okularnicę. Mającą modę gdzieś, przejętą rozmową o czymś zupełnie nieistotnym w jej sytuacji, za to ważnym dla ludzkości.

– Muszę się z tobą zgodzić, Irenko – Szymon z sentymentem wcielał się w teścia. – Mamy coś podobnego. Polacy i Żydzi żyli razem w państwie bez państwa, pod zaborami, dlatego mamy podobną politykę.

– Beznadziejną? – Gugel, rozmawiając, esemesował.

– Żeby być przeciw idiotom, musisz zapisać się do drugich.

– O polityce? W niedzielę? – krzyknęła matka z dziecięcego pokoju.

– Chodźcie do kuchni. – Dorota wzięła ze sobą butelkę wody. – Szybciej uśnie.

– U nas też ważne rozmowy – Szymon pomógł Irenie wziąć kieliszek i talerz – prowadzi się w kuchni.

– Wiem. „Kuchnia Goldy", wiem – pochwaliła się.

– Co to jest? – Dorota starała się dogodzić Szymonowi, gotując z żydowskich książek kucharskich.

On wolał pierogi i ogórkową.

– Najważniejsze decyzje zapadały na kolacjach w kuchni Goldy Meir – Irena miała wreszcie nad siostrą przewagę.

Kokieteryjnie skrzyżowała nogi, odsłaniając przed Guglem kształtne udo w ciemnej pończosze. Przysunął do oczu telefon. Zasłonił się nim jak złożonym wachlarzem mającym ukryć zażenowanie.

Co by powiedział teść, wiedząc, kim są Irena i Dorota? Szymonowi przypomniały się rodzinne dyskusje w kibucu. Oburzenie zostawiłby żonie i kobiecej solidarności. On, Chaim Lippman, brał sprawy bardziej filozoficznie. Podciągnąłby przetarte spodnie, na nowe szkoda pieniędzy, zwłaszcza gdy ich nie ma. Oszczędzał wodę, światło. Nie dla siebie, dla przyszłych pokoleń. Czytał do zmroku przed domem, później szedł spać. Oszczędzał zdrowie i zęby. Jadł jedną stroną, chroniąc słabe trzonowce przed paradontozą. Hanna musiała od niego przejąć dentystyczną manię.

W Leżajsku mieli za darmo hotel. Ona nie przewidywała noclegu i nie wzięła szczoteczki, wahała się więc, czy zostać. Namawiał ją nie tylko dlatego, że dawało mu to więcej czasu z Dorotą. Przejmował się Hanną, jej wygodą... prowadzić nocą, Fisher okazał się rozsądniejszy. Mężczyźni są mniej emocjonalni. Chaim Lippman też miał swój pogląd na wierność. Poszerzony o lektury w kilku językach. Znał jidysz, niemiecki, francuski.

– Wierność, też mi coś. – Oblizywał na wpół sparaliżowaną górną wargę, zanim trafił w usta papierosem marki Royal – jedyny zbytek, na który sobie pozwalał. Zarost sięgał mu prawie do oczu. Z biegiem czasu nie dawał rady precyzyjnie naostrzyć brzytwy, żyletek nie uznawał, zbyt szybko się zużywały. – Wierność. – Smakował papierosa. – Balzac, Dumas, Zola i Proust mogli sobie pozwolić na dywagacje – zdrada, wierność. Francuzi nie dodali *Fidélité* do ogólnoludzkich wartości *Fraternité, Liberté, Egalité*. Niewierność jest francuską obsesją. Narodu obdarzonego pięknym położeniem, delikatnością klimatu i historii, *la douce France*. Naszą obsesją jest przeżyć. Niewierność? Daje więcej dzieci. Biblia to księga niewierności. Nałożnice, niewolnice od Abrahama po króla Dawida i Batszebę. A Singer, taki Singer, dla niego natchnieniem była niewierność. W najlepszej swojej książce zdradza trzy kobiety naraz.

Ojciec Hanny wielbił Singera żarliwością ateisty odnajdującego bożyszcze warte hołdu. Dostał od niego krótką odpowiedź na swój długi list. Tych parę zdań pozdrowień w jidysz znali wszyscy domownicy i znajomi Lippmanów. Tłumaczył je każdemu, zdejmując ze ściany oprawioną w ramkę kartkę.

– Listem pisarza jest jego książka – usprawiedliwiał lakoniczność Singera.

Lippman, wierny żonie, był racjonalnie wyrozumiały dla cudzołożników. Cel narodu żydowskiego polegał na przetrwaniu, nie mieszczańskich konwenansach.

Szymon, zmuszany do czytania listu Singera przy każdych odwiedzinach w kibucu, uważał poglądy ojca Hanny za ekstrawaganckie. Musiał dopiero do nich dorosnąć, nabrać lat i doświadczenia. Chaim Lippman zmarł przed sześćdziesiątką. Szymon dostał w spadku jego teoretyczne, zaczerpnięte z historii i książek pozwolenie na niewierność. Dla Miriam te same książki Singera były natchnieniem do wierności Bogu i mężowi. Stary Lippman nie byłby zachwycony ani jej wyborem, ani Szymona. Zrozumiałby obydwoje. Najważniejsze przeżyć. Oni żyli, nieśli błogosławieństwo życia, każde na swój ułomny sposób.

– Miałeś czas tęsknić? – Dorota zbierała ze stołu talerze.

Gugel odwiózł jej rodzinę na dworzec. Matka nie zgodziła się spać w hotelu.

– Pierwsza noc w obcym miejscu dla mnie to mordęga – zaprotestowała.

Jej łóżko w Ostrowcu miało stertę poduszek. Podkładała je sobie pod głowę w ustalonej kolejności. Białe jaśki, wałki i poduszeczki – pliki do przerobienia przez sen – pomyślał Szymon podczas wizyty zapoznawczej. Wręczył jej cięte kwiaty. Powiedział, co należało. Nie żeby go polubiła. Rozmowa z nią wytyczała granice obrony.

– Tęsknić? – Posadził sobie Dorotę na kolanach. – Tu mam ciebie. – Odwinął sobie powiekę. – Pod drugą Dawida. Widzę was – mrugał. – W dzień i w nocy, na przemian.

– Tobie łatwo żartować.

– Nie żartuję, serce moje.

– Zostań.

– Dobrze. Naruszę procedury i zostanę do rana. Doceń.

– Ceni się bohaterów na pomnikach. Ty jesteś ojcem Dawida i moim... – celowo przerwała.

Bawiła się jego uchem, pociągając za nie pieszczotliwie, mocniej, na granicy bólu.

– No kim? – Pocałował ją w dręczący palec i przytrzymał go.

– Sama nie wiem... Mną? – zdziwiła się swoim pytaniem.

– Chciałbym.

– Kim jesteś, Szymon, dla mnie?

Nie była pijana, jeden szampan na kilka osób – zastanawiał się nad jej dziwnym stanem. W domu nie było więcej alkoholu, może piwo w lodówce. Nie upijała się, trzeźwa też nie popadała w egzaltację.

– Wiesz, kim jestem. – Miał ochotę nią potrząsnąć. Obudzić dawną Dorotę, sprzed chrztu, wizyty rodziny.

Irena i matka przywoziły ze sobą małomiasteczkowy splin. Nastawiały ją przeciwko niemu. Nie wprost, wystarczyły znaczące spojrzenia. Teatralne: „Och, nie pytaj, to ich sprawy".

– Dowiem się, kim chcesz dla mnie być, jak zostaniesz. – Zsunęła mu się z kolan, stanęła naprzeciwko.

Krótka czarna sukienka, bez rękawów, zlała się z mrokiem. Dorota wydawała się naga. Wolałby rozpiąć jej kok i posadzić przed fortepianem.

– Nie mogę ci obiecać, kochana, nie tym razem.

– A jeżeli jest tylko ten raz?

W pokoju Dawida uruchomiła się elektroniczna zabawka. Nasłuchiwali, czy się obudził. Robot pochrzęścił, pobłyskał i zacichł.

– Co znaczy „Ten raz"? – zaniepokoił się Szymon.

– Nie wiem... coś się stanie.

– Nie ma prawa.

– Człowiek na ulicę wyjdzie i ginie, samochód go potrąci. Ty ryzykujesz...

– Najbardziej, że znudzi cię czekanie na mnie. Niczego innego się nie boję, nie ma czego. Samotność jest chorobą zawodową agentów.

– Żegnasz się ze mną?

– Nie, jeszcze mamy. – Nacisnął telefon, sprawdzając czas i czy są nowe wiadomości od Hanny – trzy godziny.

– Mówię o prawdziwym pożegnaniu. Nigdy... mnie nie traktowałeś tak.

– Jak?

– Inaczej. Powiedz, co się dzieje?

– Nic, naprawdę nic. Jedna rzecz... zgadłaś. Nie miałem akcji w pobliżu.

– W Warszawie? – Zaskoczył ją, nigdy nie mówił o pracy. – Kiedy się zobaczymy?

– Obiecałem ci sierpień, pojedziemy na wakacje, w Bieszczady, nad morze, gdzie zechcesz.

– A ja tobie coś obiecałam?

Nie wiedział, przewertował w pamięci rozmowy, telefony, mejle.

– Nic – przypomniała mu. – Nic nie obiecałam i dlatego dotrzymam słowa. – Ściągnęła sukienkę.

*

„Kupię kruszynę i destrukt" – Gugel przeczytał ogłoszenie na dykcie.

Stał w korku z Piaseczna do Warszawy. Uchylił okno. Dym jego papierosa mieszał się z kurzem nawiewanym od pól. Szpilą spinającą horyzont była iglica Pałacu Kultury. Falował za letnią mgiełką. Muzyka różnych stacji radiowych przetaczała się zmiennym rytmem wzdłuż czekających aut.

– Skupować destrukt? – Nie przypuszczał, że można zwozić komuś ruinę i jeszcze na tym zarabiać. – Ja jestem destrukt. – Padł na kierownicę. – Biznes w ruinie, z Eweliną koniec. Zostawiła mnie w najgorszym momencie. Polska wycieczka tnie koszty, izraelska bez hotelu.

Gdyby dostał do zakwaterowania Angoli. Nie demolowali hoteli, wyżywali się na ulicy. Przyjeżdżali do Krakowa na wieczory kawalerskie w o wiele mniejszych grupach niż izraelscy licealiści. Naśladowali swoje buntownicze zespoły rockowe: Sex Pistols, Rolling Stonesów; pijatyka, bijatyka i panienki. Z tą różnicą, że zamiast wokalu wydawali publicznie zbiorowe odgłosy rzygania. Weekendowe wymiociny pokrywały stare, świątobliwe miasto. Znaczyły granicę zderzenia zgnilizny Zachodu z przedmurzem chrześcijaństwa.

– Ile można słuchać w kółko tych samych reklam. – Gugel przełączył stację radiową. Wracała nieustannie, do mdłości, scena po chrzcie. Przebierał się już do cywila. Czarne spodnie od kostiumu chasyda powiesił w szafie. Ewelina zjawiła się bez zapowiedzi. Opuściła żaluzje w oknach, zamknęła drzwi. W niedzielę biuro i tak było nieczynne. Przyniosła prezerwatywy jak za pierwszym razem.

– Załóż – rozkazała.

– Po co?

– Nie chcę się zarazić.

– Czym?

– Tobą. Jesteś pizdochłonny. Pieprzysz licealistki, małe kurewki.

– Zwariowałaś? – Nie włożył spodni, czekał, aż przejdzie jej złość.

– Ja? Wszystkiego się można po tobie spodziewać. Widziałam cię.

– Gdzie?

– Dzisiaj pod kościołem. Przyszłam popatrzeć na lądowanie na Księżycu. Pieprzyłeś tę blondi?

– Ja z nikim...

– Załóż fiuterał. – Rozerwała opakowanie.

– Musisz mnie upokorzyć? Za co?

– A wiesz, jak ja się czułam, kiedy mnie biłeś?

– Prosiłaś...

– Nie, chciałam się przekonać, jaki jesteś.

– Ewelina, co ty odpierdalsz? To cię nawilża?

– Nie ufam ci, najemnik. Też masz podwójne życie? Myślisz, że nie wiem, co robisz dla swojego Szymona? Nie domyśliłam się? – Z dwóch stron przyłożyła sobie do twarzy pięści jak dwa telefony. – Za kogo ty mnie masz... Za blondi?

Gugel uruchomił samochód. Włączyło się radio, reklamy i zapowiedzi wydarzeń tego lata. Podkręcił głośność.

„Wielka impreza. Niemcy, Litwa, Polska wystawią swoich rycerzy na polach Grunwaldu. Piętnastego lipca zapraszamy na historyczną bitwę...".

– Kurdede facto! – Uderzył w kierownicę. – Wygramy! Że ja na to wcześniej nie wpadłem.

– ...i mamy pustą kamienicę. Same korzyści – Gugel w swoim biurze wyliczał Szymonowi przez telefon. – Upchnę na jeden strych dzieciaki od Fishera, na drugi moją wycieczkę. Do dwudziestej pierwszej dom będzie czysty, możecie przyjść.

– *Simply Jewish idea* – pochwalił go Szymon.

Był sam w hotelowym pokoju. Hanna po Leżajsku zmieniła zdanie o Polsce. Przestała się bać. Rano, zanim się obudził, z podręcznym przewodnikiem zwiedzała Muranów. Nie podał jej numeru kamienicy na Chłodnej. Czekała ją niespodzianka.

– *Simply*, ale kosztowna – Gugel już podsumował rachunki.

– Za ile?

– Wynajęcie busa tam i z powrotem. Plus paliwo... na pięćset kilometrów.

– Grunwald – Szymon zajrzał do zostawionego przez Fishera atlasu – sto osiemdziesiąt kilometrów, nie więcej.

Wpuścił kelnera ze śniadaniowym wózkiem. Nie miał ochoty schodzić do restauracji, szukać miejsca i rozmawiać z przygodnymi gośćmi. Nie wiadomo, na kogo się trafi, kto zajrzy przez szybę. Obiecał Dorocie spotkanie. Lepiej nie ryzykować nieprzewidzianego i wcześniejszego. Miał sobie za złe, że uległ. Jego wolna wola rozpływała się pod jej dotykiem, była słabsza od pocałunku.

– Dolicz hotel, trzy pokoje rodzinne i cztery single, nie

dwa podwójne. – Gugel kreślił na kartce strategię rozmieszczenia wysiedlonych na jedną noc lokatorów.

Pod numerami mieszkań kaligrafował nazwiska: Radwan, Kozielscy. Podkreślił Kozielskich, ci byli najgorsi, buntowali pozostałych. Trzeba dać im największy pokój, z jacuzzi, jeśli będzie.

Po wydostaniu się z korka Gugel pojechał prosto do kamienicy przy Chłodnej. Przegniła cegła od dziesięcioleci bez remontu, obłażąca olejna lamperia. Z podwórka na wybrukowaną jeszcze przed wojną ulicę wybiegli chłopcy. Bawili się w gwiezdne wojny, okładali kijami i plastikowym mieczem zakończonym diodą.

Parter czteropiętrowego domu z otwartym oknem wyłożonym wietrzącą się kołdrą zajmowali Kozielscy. Najpierw zapytali, czego tu Gugel szuka. Komornik? Złodziej? Policjant? Uprzedzili piętra. Po wyżłobionych schodach potoczyła się szklana butelka. Człapanie, pospieszne kroki, trzask drzwi, potem pokryw korytarzowych schowków. Lokatorzy zabierali z nich druty hamujące naliczanie prądu.

Okna wychodziły na nowe apartamentowce z portiernią, basenem i podziemnymi garażami. Mieszkańcy kamienicy byli solidarni. Przegonili Gugla, nie będzie im się obcy kręcił po domu. Wrócił z propozycją wycieczki.

– Nic nie ma za nic. – Opuchnięta Kozielska, w ciąży, robiła przeciąg na korytarz. – Wożą ludzi do Lichenia niby darmo i każą kupować garnki, też niby darmo, takie tanie.

– Program „Stolica latem" finansuje Ministerstwo Sportu i Turystyki – przekonywał.

– Do Lichenia? – trzymając się poręczy schodów, zawołała w dół staruteńka Michałkowa.

– Tam kiedy indziej. – Nie chciał jej zrażać.

– Nie! Na razie Grunwald! – odkrzyknął z półpiętra Kozielski.

Gugel poczęstował go papierosem.

– Dzieci wyjadą z miasta, poduczą się historii – zachęcał. – Panie odpoczną w spa, hotel trzygwiazdkowy.

– Ja się nie ruszam. – Kozielska wypięła brzuch. – Nie w moim stanie.

– Kryśka, urodzisz w hotelu i dzieciak będzie miał darmowe spa – zaskrzeczała z góry Olecka.

Gugel nie posądzał tej roztrzęsionej starością poczciwiny o złośliwość.

– Niedziela? W te niedziele pracuje – odezwał się podpierający ścianę facet z podgolonym karkiem.

– Gdzie? – Gugel znał jego nazwisko ze spisu lokatorów: Radwan, dwoje dzieci.

– W zajeździe. Ty sama z chłopakami jedź – zawołał do otwartego na oścież mieszkania. – No nie patrz tak, dyżur wziąłem. O której odjazd?

– Dziewiąta rano, bitwa zaczyna się o dwunastej. Potem nocleg i wracamy na jedenastą rano następnego dnia. Zapowiadają rekordowe upały w ten weekend, ponad trzydzieści stopni. – Gugel nie kłamał. – Będą darmowe napoje, piwo i emisja telewizyjna. W telewizji bitwę pokażą. Jak państwo chcą. To jest program całościowy. Albo jadą wszyscy, albo inna kamienica.

– Mi to szwindlem pachnie. – Kozielski stanął między żoną a Guglem. – Wyjedziemy i mieszkania nam obrobią.

– Mam biuro turystyczne, proszę, od trzech lat. – Rozdawał wizytówki. – To ja – pokazał wydrukowane dużymi literami: „Prezes Jacek Grzeszczak". Można pójść zapytać, nie jestem firma krzak. Państwo będą zadowoleni, coś zobaczą, zwiedzą i ja dostanę następne zamówienia, dla mnie to reklama i szansa. Uczciwi ludzie powinni sobie pomagać. Nie jestem bogaty. Nikogo nie okradłem, ciężko pracuję. Nikt mi nic darmo nie dał, matka mnie sama wychowywała, harowała na dwóch etatach. Teraz choruje, na nią zarabiam, na opiekę i leki – powiedział głośniej do Oleckiej wychylającej głowę pomiędzy poręczami.

– Dlaczego my, a nie ci spod piątki? – Kozielskiego nie wzruszyła przemowa Gugla.

– Wasza kamienica jest do rozbiórki, najmniej lokatorów, dziesięcioro. Ministerstwo chwali się akcją, ale i przyoszczędza.

Zgodzili się, nie od razu. Wytargowali suchy prowiant na drogę i mokry – Kozielski z Radwanem domagali się sześciopaku piwa do busu.

Gugel dostał klucze na obydwa strychy kamienicy, gdzie składano rupiecie i suszono pranie. Obiecał nowe, plastikowe sznury, do tego worek proszku OMO, prawdziwego niemieckiego, pięć kilo na lokal.

Dla swoich wycieczek kupił hurtem czterdzieści karimat. Od dyrektorki domu opieki pożyczył koce potrzebne do eksperymentu dezynfekowania ozonem.

– Ryzyka nie ma – zapewnił ją. – Ozon wybija drobnoustroje, grzyby, pleśń. Nie zmechacą się, nie poplamią. W najgorszym razie wrócą pachnące letnią burzą. Morską bryzą – podarował dyrektorce perfumy.

Karimaty i koce trzymał w biurze, skąd rano piętnastego lipca pojechał na Chłodną. W busie wynajętym razem z kierowcą siedziała już rodzina Radwanów, Kozielska rozłożyła się na tylnym siedzeniu. Gugel pomógł wsiąść Oleckiej ubranej w najlepszą, pachnącą naftaliną suknię i koronkowe rękawiczki. Radwanowa wyjęła jej z włosów zapomniany wałek. Wypudrowana, pomalowana szminką Michałkowa sama weszła po wysokich stopniach. Laską odtrąciła nadskakującego jej Gugla.

– Torebki, gdyby ktoś musiał – kierowca podał rezolutnemu synowi Kozielskich – rozdaj.

– Komu w drogę, temu czas. – Olecka się przeżegnała.

Gugel usiadł z przodu i przytulony do szyby udawał, że śpi. Zmęczony zasnął naprawdę. Nie słyszał wystrzałów z nadmuchanych torebek. Obudził się przed hotelem, gdzie zostawiono Kozielską z najmłodszym dzieckiem.

Pojechali do Grunwaldu. Zatrzymali się kilometr pod, bliżej nie było gdzie zaparkować. Autobusy, piętrowe, ciężarówki, samochody w poprzek i wzdłuż dróg. Im bliżej wbitych w beton kilkunastometrowych mieczy pośrodku pola, tym większy kurz.

Megafony, piszczałki, rozjechane końskie kupy, tłum średniowiecznych dam, rycerzy, giermków mieszał się z turystycznym pospólstwem w czapeczkach i przepoconych T-shirtach.

Gugel prowadził obie staruszki. Michałkowa podpierała się laską, w razie potrzeby torowała nią drogę. Kozielski z Radwanem i chłopcami przebijali się do przodu przez obozowiska. Przy straganie chorągwi żmudzkiej kupił im plastikowe hełmy i miecze.

Olecka klapnęła na drewnianej ławie pod namiotem.

– Dziesięć złotych. – Pojawił się rycerz z tarczą. – Dorgwićpajłło – przedstawił się.

– Nie chcemy zdjęcia. – Sapnął Gugel.

– Parking osobowy – wskazał kopią plakietkę przybitą zardzewiałym gwoździem do ławki.

Miejsce było zacienione namiotem, wygodne. Olecka mogła wreszcie wyjąć sztuczną szczękę oblepioną gumą do żucia. Skrobała ją znalezionym pod ławą patyczkiem. W autobusie dała się skusić na witaminy małemu Radwańskich.

– Mama mi kupuje witaminizowane słodycze. – Poczęstował ją kolorową kulką.

Gugel stał w kolejce do zbitego z brzozowych pni warsztatu tkackiego. Kupił trzy białe lniane czepki wiązane pod brodą. Powrót przez nagrzane pole groził udarem.

Przy namiocie było spokojnie. Wytatuowany, półnagi osiłek w lnianych gaciach i kierpcach kręcił na rożnie prosiaka. Czerwona od upału dama w powłóczyście średniowiecznej sukni polewała pieczeń brązową breją sosu. Rozległa się pieśń *Bogurodzica*. Olecka i Michałkowa włożyły czepki, uklękły. Rożnowy z damą przeżegnali się w przerwie między obrotami prosiaka. Gugel zarzucił sobie na plecy zwisające sznurki czepka i usiadł przodem do pola, niewidocznego spoza namiotów. Przez megafon rozległo się nieludzkie wycie.

– Teraz nasi. – Rożnowy był weteranem Grunwaldu. Wiedział, gdzie ustawić swój stragan. Szykował się do ćwiartowania mięsa dla wracających z bitwy.

– Nie gorąco panu? – Gugel zagadnął Dorgwićpajłłę dyszącego pod ciężarem naramienników wpijających się w płócienną koszulę.

– Rycerstwo miało gorzej, w pełnej zbroi, nie z włókien szklanych. Pogoda była jak dziś – zionął winem. – Ja tu znam każdą piędź ziemi. Przyjeżdżam poza sezonem z wyszukiwarką metalu, wiem, gdzie szukać, żeby nie złapali.

– Co pan znalazł? – zainteresowała się Michałkowa, popijając lekarstwa wodą nalaną przez damę do glinianego kubka.

– Niemieckie monety.

– Z bitwy? – Gugel był ciekawy ich wartości.

– Krzyżacy gdzie? – Olecka patrzyła za krzyżami na płaszczach.

Michałkowa dźgała laską po gołych łydkach zasłaniających jej widok.

– Nie, pruskie monety sprzed wojny, tu były Prusy. – Rycerz odpiął naramiennik. – Dorgwi to mój bitewny pseudonim, Kołłątaj jestem. – Skinął towarzystwu na ławce.

– Grzeszczak. – Gugel zamyślił się. – Oczywiście, tu były Prusy. – Wciągnął Grunwald na listę przegranych polskich bitew.

Kircholm, Chocim, Wiedeń. Polacy zwyciężali, nad sobą nigdy. Nikt nie dorównywał im w tępocie opornej na naukę płynącą z historii. Bezsensownym uporze, zwanym wiernością. Byli swoim największym, wewnętrznym wrogiem. Począwszy od zdegenerowanych Piastów. Wyłupywanie oczu kuzynom, ćwiartowanie i morderstwa były średniowieczną europejską normą rządzących rodów. Przekraczały ją piastowskie wyczyny – trzymanie rodziny w żelaznych klatkach i sprzedajność. Przez nich Jagiellonowie byli na łasce szlachty. Dlatego nie ustanowili mocnej dynastii.

Władysław Jagiełło wydawał się facetem z *cojones* –

nad polami grunwaldzkimi zabrzmiał jego wzmocniony aparaturą głos. Umarł od romantyzmu. Poszedł słuchać rano słowików na łąkę i się przeziębił. Nielogiczne – Gugel znalazł błąd. Sentymentalny król? Słowiki? W głębi serca pozostał poganinem. Nie wyschła na nim woda chrztu i to mazidło, które ksiądz nakładał na głowę Dawida. Jagiełło poszedł półgoły składać wiosenne ofiary litewskim bogom: ptakom, wschodzącemu słońcu i drzewom. Pogański założyciel dynastii w chrześcijańskiej od tysiąca lat Europie, pogromca krzyżackich zakonników.

Nic w tym kraju nie było normalne – Gugel utwierdzał się w tym, studiując dwa semestry historię. Jedyne europejskie państwo bez władzy absolutnej. Bezwładne, w dodatku szczycące się bezhołowiem szlacheckiej demokracji. Powstałej ni w pięć, ni w dziewięć między zdziczałymi polami i bezwzględnymi monarchiami sąsiadów. Władza musi być absolutna, jeśli ma być skuteczna. Jak miłość – pomyślał o Ewelinie, Dorocie.

Obie kochały szaleńców. Eryk – błędny rycerz, zupełnie jak ten przymroczony koleś w kolczudze, pochlapany keczupem. Kręci się wokół pieczonego prosiaka i przeżywa glorię urojonej bitwy. Szymon Doroty rozgrywa swoją bitwę, lawirując między Ziemią Świętą a Mazowszem. O piętnastej miał być na Chłodnej z Hanną.

W hałasie, rżeniu koni, jękach i wrzaskach rozmowa z nim nie miała sensu. Gugel wysłał SMS-a: „Za cztery godziny jestem w Warszawie. Wszystko OK?".

– Poczekaj, od Gugla.
Ekran telefonu Szymona błysnął w zatęchłym korytarzu kamienicy. Na poprzednie SMS-y Doroty odpisywał

po kryjomu w łazience albo wykorzystując nieuwagę Hanny, szykującej się do wyjścia. „Zaczynam akcję. Będę pod telefonem pojutrze, kocham, S" – wysłał jej ostatnią wiadomość tego dnia. „OK" – odpowiedział Guglowi.

Hanna szła ostrożnie po wyszczerbionych stopniach. Z zewnątrz dom wyglądał porządniej. Zrobiła kilka zdjęć. Niektóre okna zamurowane, w innych w miarę czyste szyby i firanki. W środku poryte, pomazane ściany. Wprawnym okiem pod warstwą starszych napisów wychwyciła zarysy gwiazdy Dawida i „Żydy pedały".

– Na pewno nie wrócą? – Potknęła się o gumową czystą wycieraczkę.

– Najprędzej na łono Abrahama. Jedna ma dziewięćdziesiąt lat, druga alzheimera.

– No tak, tak, mówiłeś. – Słyszała, że pomysł z kamienicą był Gugla.

Do hospicjum, gdzie leży jego matka, przywieziono obie lokatorki z Chłodnej.

Szymon wziął ze sobą teczkę, w niej kopertę od notariusza, rachunki i kopie planów geodezyjnych. Papiery nie „jego" kamienicy, sprawiały wrażenie urzędowej wiarygodności.

– Chamuda, brać? – Przyłożył sobie teczkę do serca.

– Nie można wejść? – Chwytała klamki mieszkań.

– Bez syndyka nie. Oglądałem, ruina. Strych jest w lepszym stanie – uprzedził ją. – Nadaje się na taras widokowy, szkło, przesuwane szyby.

– Byłoby pięknie. – Pstryknęła zdjęcie. Po zmurszałych deskach przeszła do okna.

„Hanna – przekonywała samą siebie, sprawa dotyczyła Szymona, nie mogła więc przedyskutować decyzji razem z nim, co robiła od czterdziestu lat. – „Co ty masz mu powiedzieć? Będzie miał kamienicę w Warszawie. Odnowi". – Skuliła się pod krzywym stemplem podtrzymującym strop. – „Odnowi, gdzie tam, odbuduje. Weźmie kredyty pod zastaw Santy. Coś nie wyjdzie, Ben Laden zaatakuje i znowu giełda się zawali, banki podniosą stopy procentowe. Czegoś się od jedenastego września nauczyłaś, Hanno Lippman, nie Golberg. Boże, jak ten czas leci!". – Przez okienko strychu przyglądała się przechodniom, odganiała muchy. Z góry dzieci i dorośli byli równego wzrostu. – „Starość jest dla kobiety testem na rozum. Nie noszę mini, nie wstrzykuję sobie trucizn i nie mam liftingu. Czy muszę tracić to, co mam? Przed siedemdziesiątką zamartwiać się kredytami?".

– Szymon, to duże ryzyko i w dodatku bez wspólnika?

– Wiem, wiem, o czym myślisz. Fisher wykluczony. Jeden weekend i cię kupił. Nie wiem, co wyście w Leżajsku wyprawiali, ale...

– Nie udawaj zazdrosnego. – Słyszała już jego wymówki, niby żartobliwe, i podsycające je puszenie się Fishera.

– Żartujesz. Nie ufać przyjacielowi to gorzej, niż nie ufać sobie. – Schodzili ze strychu.

– Nie musisz mi ufać, nie znam się na biznesie. Sprzedałbyś z zyskiem, ale byś się zamęczył. Nie lepiej znaleźć domek w Leżajsku? Kazimierz jest blisko Warszawy, ładny.

– Tak mówisz?

– Tak czuję. Pieniądze się nam teraz przydadzą. Miriam odmówili dotacji.

– Po to wyszła za mąż... jest dorosła.

– Najlepszą inwestycją są dzieci, przypomnę ci.

– Ona wie, czego chce, czego nie chce i ile to kosztuje, kto jak kto, ale Miriam umie liczyć. Sama zdecydowała, reszta... w ręku Boga. Nie zabieraj jej nadziei, Chamuda, niech Bóg coś dla niej zrobi.

– Wiesz, czym się różni Bóg od człowieka?

– No?

– Tym, że człowiek jest.

– Jej powiedz, napisz razem z pozdrowieniami z Leżajska.

– Nie ja to wymyśliłam. Ktoś namalował na Mokotowskiej, przy placu Zbawiciela. – Szukała w aparacie zdjęcia muralu.

– Zbawiciela? Miał przestrzenne poczucie humoru. – Szymon nerwowo chodził wokół podwórka. – Hanna, szczerze, powiedz, co myślisz?

– Prześpij się z tym.

Został wieczór na przekonanie go do zmiany decyzji, podsunięcie argumentów, po których sam zrezygnuje. Zjedzą kolację, pójdą na spacer, może będzie gdzieś koncert. Szymon lubił polskie piosenki. W łóżku jego ciężka ręka przerzucona przez jej ramię będzie pasem bezpieczeństwa, jak co noc, razem. Pod czujną opieką Hanny dozującej tabletki, o których Szymon nie musi wiedzieć. Rady, dzięki którym uchroni się przed większą ruiną niż ten dom.

Najpierw człowiek się stopi. Gugel wdepnął przed kamienicą w przeżutą gumę w rozmiękczonym asfalcie. Później wyparuje. Otarł czoło.

Polska wycieczka już zajęła swój strych. Doniósł im papier toaletowy. Plan był precyzyjnie przemyślany. Cztery rulony wystarczą – podzielił paczkę. Tyle samo dla Izraela.

Zlew do mycia był na korytarzu, metalowy, z jednym kurkiem zimnej wody. Dwie ubikacje na przeciwległych końcach, od dawna nieużywane. Zarośnięte kamieniem, pordzewiałe. Skrócony o połowę łańcuch spłuczki miał porcelanową rączkę. Przy przeciętnym wzroście trzeba było do niej doskoczyć.

– Taka egzotyka – wytłumaczy młodym Żydom od Fishera, nieobeznanym, jak sądził, z badziewiem. – Wczujcie się w realia. W tym domu Polański kręcił *Pianistę*. – Ściemę o filmie sprzedał obydwu grupom. – Dlatego tu śpicie, nowoczesny *hosteling*, atmosfera miejsca, nie standardowy hotel bez wyrazu.

– Gdzie jest mieszkanie Szpilmana? – zapytała prymuska z PGR-u. Jedyna niewymalowana, bez odblaskowej szminki. Nie tuliła się z innymi dziewczynami i nie chichotała.

– Na drugim piętrze, zamknięte. Szykują muzeum.

– Co było na strychu? – dopytywała.

– Nagrywali sceny z getta, Polański... wiecie, kim jest Polański? – Nie chciało mu się więcej zmyślać.

Chłopcy porozkładali się na karimatach i majstrowali przy walkmanach. Dziewczyny zajęły się sobą. Duchota pod nagrzanym dachem rozpuściła im makijaże. Na spoconych, pryszczatych twarzach siadały muchy. Nauczycielka, wychudzona, piegowata trzydziestoparolatka, spodziewała się lepszego noclegu. Przyjechała z prowincji do stolicy. Męczyła się w obcisłej sukience zapinanej od szyi po kolana małymi guziczkami, podobnymi do przycisków akordeonu.

– Przywiozę pani składane łóżko polowe. – Gugel nie mógł oprzeć się wrażeniu, że patrząc jej w oczy, zagląda w wąskie usta. Były podobnie zaczerwienione. – I nie hałasujcie, proszę, szacun dla historycznego miejsca, wiecie, co się tu działo.

Nie próbował nawet zasnąć. Jeden problem rozwiązany – Hanna widziała dom. Szymon podziękował mu SMS-em, zasypywał następnymi: „Dorota dobrze się czuje?".

Gugel w napięciu oczekiwał wiadomości spod Grunwaldu. Czy komuś nie przyszła po pijaku ochota wracać do Warszawy, na oklep, w plastikowym szyszaku. Czy nie zdemolowali hotelu albo Kozielska nie zaczęła rodzić. Czuwał. O drugiej telefon z Chłodnej. Nauczycielka histerycznie czegoś żądała.

– Słucham? – Nie rozumiał, coś przerywało, włączała się jej na linii muzyka.

– Przepierzenie.

– Przez co?

– Przepierzenie, ścianka!

– Już jadę. – Zabrał ze sobą młotek i gwoździe.

Nie przewidział pęknięcia murów. Strych był zaniedbany, z drewnianym belkowaniem, wydawał się jednak solidny.

Gugel przyhamował gwałtownie przed kamienicą. Z otwartych pod dachem, rozświetlonych okien grała muzyka. Była trzecia nad ranem, ulica i domy wokół ciemne, ciche. Wejścia od środka pilnował izraelski ochroniarz. Pod ścianą z przymkniętymi oczami, obojętny na to, co działo się od parteru po strych.

Wycieraczki i półpiętra zajmowali imprezowicze. Przekrzykiwali się po hebrajsku, polsku, gadali po angielsku. Deptał puste puszki po piwie, pety. Wymijał całujące się pary. Na korytarzu łączącym strychy polska nauczycielka, izraelski opiekun, z wyglądu cherlawa poczciwina, i ochroniarz zajmowali legowisko z koców.

– Gdzie pękło?! – Gugel postanowił najpierw zająć się ścianą, potem uciszyć imprezę. – Pęknięta ściana, gdzie? – Przykucnął.

Poczuł od nich alkohol. Guziczki sukienki nierozpięte. Nie musiały, szeroko były otwarte oczy nauczycielki z poszerzonymi źrenicami. Pachniało trawą. Ochroniarz wsunął coś pod koszulę. Pistolet – Gugel przypomniał sobie, co mówił Szymon. Muskularny dwudziestoparolatek podrywał nauczycielkę, imponując bronią. Był tak wysportowany, że jego kwadratowa szczęka wydawała się podtrzymywana mięśniami, nie zawieszona na żuchwie.

– Pan nie zrozumiał, chodziło mi o postawienie ścianki działowej między grupami. – Nauczycielka najpierw uklękła, potem niepewnie wstała.

– Po co? – Nie umiał sobie wyobrazić czegokolwiek, co rozdzieliłoby rozbawione, ściskające się po kątach dzieciaki.

Ochroniarz był tego samego zdania.

– Są bezpieczne, sprawdzałem.

– Nie nadaje się. – Izraelski opiekun w pomiętej koszuli khaki, dużo niższy od ochroniarza, wziął od Gugla młotek.

– Aaaa właśnie, zatkała się toaleta – przypomniała sobie nauczycielka. – Od tego się zaczęło. Udostępniliśmy naszą.

Muszlę klozetową zapychała wciśnięta głęboko rolka papieru. Guglowi nie chciało się paprać bez rękawic. Rano, zanim wrócą z Grunwaldu, przyjdzie i posprząta. Ważniejsze było uciszenie muzyki. Ktoś z sąsiedniej kamienicy mógł wezwać policję.

– *Turn that loud down!!!* – rozdarł się na ciemnym strychu.

Żarówka oświetlała tam samą siebie, resztę pokrywał mrok. Wyszedł z niego chudy chłopaczek w koszulce zadrukowanej boleśnie przymuloną twarzą Kurta Cobaina.

– *Okay, okay.* – Pokręcił coś przy walkmanie oplecionym kablami prowadzącymi do głośniczków.

– *Pleaaaase!* – Gugel nie wytrzymał i wyrwał drut.

Muzyka nadal grała. Zjawił się koleś w identycznej koszulce z Cobainem. Pomajstrował w przełącznikach, łomot ucichł.

– *Music!* Co jest? – Wbiegł polski nastolatek, bez koszulki. O gładki tors obijał się mu rzemyk z pacyfką.

– Cisza nocna – ogłosił Gugel.

– *No music, no fun.* – Chłopak zaciągnął się skrętem.

– Skąd masz?

– Wrodzone – uśmiechał się błogo.

– Kto wam sprzedał to gówno?

– Nikt. – Stykał druciki, dźwięk uruchamianych na chwilę walkmanów przypominał didżejowskie skreczowanie. – Przywiozłem z Berlina, czyste, bez chemii.

– Dealerka? – Gugel nie posunąłby się do handlu trawą i prochami, ale kto wie... nie oceniał gówniarza z beznadziei polskiego interioru, popegeerowskich bloków.

– Na użytek własny i przyjaciół. Jesteśmy *chemical brothers* – poklepał izraelskiego właściciela głośników. – Chemiczni bracia – przetłumaczył Guglowi, gdyby nie załapał, i poczęstował go wyjętym z kieszeni zeppelinem.

Odmówił, zapalił własnego papierosa. Skrętem podzielili się kumple od Cobaina.

– Moja matka jeździ na robotę do Niemiec, odpyla mi kieszonkowe.

– Kupujesz sobie za to lepszy świat?

– Ehee, lepszy punkt widzenia, bez zgredowskich schematów. – Chłopak podskoczył, złapał za belkę i się rozbujał. Zsuwały mu się podarte dżinsy. Fotka Morrisona z najlepszego okresu, okładka Doorsów w wersji popegeerowskiej – ocenił Gugel.

Jest *sex drugs&rock'n'roll*, czemu nie ma świeżości i poweru tamtych czasów? Słuchają gównianej sklepowej muzyki o niczym, ubierają się tak samo metkami na wierzch. Izraelskie dziewczyny bardziej wyluzowane, mniej pańciowate, w stylu Eweliny. Długie wiązane glany, podarte podkoszulki. Ale też pod sztancę, podobnie. Co miały dzieci-kwiaty – niesprawiedliwą wojnę wymyśloną przez starych i uciułany przez nich dobrobyt. Jedno i drugie do olewki. Te polskie marzą o kasie. Protestować? Przeciwko czemu? Nie zmienią świata, nie mają pomysłu. Mogą od niego tylko żądać, jak od rodziców. Zanim się rozżyją, pokolenia wcześniej nie miały tutaj szans, pójdą na emeryturę. Czy ja zarobię na własną? Fisher, gdzie jest syn Fishera? Gugel zbiegł po schodach. Od tego, co naopowiada ojcu, zależą przyszłe zamówienia.

Znalazł go w kącie przy drzwiach Kozielskich. Rudzielec dyskutował z polską prymuską. Gestykulował jedną ręką, wspierając swoje argumenty, drugą przyłożył do framugi tuż przy rozognionym policzku dziewczyny.

Równego wzrostu, stykali się głowami, próbując lepiej zrozumieć. „Palestyna", „globalizm", „ruchy pacyfistyczne" – wymawiali żarliwiej niż obściskujące się w ciemnościach pary powtarzające słowa z filmów i piosenek: *Baby, come on, darling.*

Nadbiegający z góry Gugel speszył prymuskę.

– W tym domu ukrywał się Szpilman. – Odsunęła odgradzające ją od korytarza ramię młodego Fishera. – Czy Polański przypadkowo wybrał do filmu...

– Nie ma przypadków. – Nie wiedział, co jej odpowiedzieć.

– Też tak myślę – ucieszyła się.

Fisher, nie rozumiejąc polskiego, marszczył jasne brwi. Nie dawał się wykluczyć z rozmowy. Potakiwał dziewczynie, wpatrując się w jej wydatne usta. Zażenowana przygryzała wargi, przez co były jeszcze bardziej napuchnięte i czerwone. Pachniała czymś słodkim i lepkim, cukierkami.

– Piszę pracę maturalną z twórczości Polańskiego – przeszła na angielski.

– U nas nie ma prac, są egzaminy maturalne.

– U nas też. – Gugel wolał rozmawiać z nim, wysondować, co powie w Izraelu o nietypowym noclegu.

– Wy macie wojsko. – Prymuska troskliwie pogłaskała go po rudych, przystrzyżonych kędziorach.

Kurdede facto, kolejna matka Polka. – Gugel w jej geście wyczuł nekrofilski odruch. Nie spoufalałaby się z Fisherem, gdyby nie traktowała go jako potencjalnego trupa. Gesty i sentymenty podhajcowane bliskością śmierci.

– Polański jest o wszystkim, encyklopedia dwudziestego wieku – mówiła szybko.

Otaczała się nadmiarem słów. Zatykała nimi emocje, w obawie, że znowu ją zdradzą. Pozwolą sobie na więcej niż rozsądek przemądrzałej dziewczyny z małego miasteczka.

– Polański przeszedł wszystkie plagi i pokusy – getto, faszyzm, komunizm, Hollywood i pedofilia.

– Hollywood? Byłem u wujka. – Szurając po schodach, podszedł do nich chłopak w koszulce z Cobainem. – *Cigarette?* – podał Guglowi.

– Izraelskie? – Oglądał paczkę.

Fisher też chciał zapalić. Kumpel powiedział do niego coś po hebrajsku i zabrał papierosy. Podał zapalniczkę Guglowi.

Na strychu huknęła muzyka. Zaciągnął się i wrócił na górę.

Była czwarta nad ranem. O siódmej po wycieczki podjeżdżały autokary. Jechali zjeść śniadanie do baru Bambino. O dziesiątej wracali lokatorzy.

– Lokatorzy – powiedział Gugel głośno sam do siebie i usiadł na schodach.

Obok przystanął Polański, mały, wesoły blond chłopaczek.

– Piwo? – zaproponował.

Gugel nie mógł sobie przypomnieć, z której konus był wycieczki. Nie puszczając poręczy, wspinał się na strych. Schody wydawały dźwięki.

– Niemożliwe, nie są drewniane i nie aż tak stare – podskoczył.

Stopień ugiął się i zagrał tonem fortepianowego klawisza. Natychmiast rozpoznał A. Dorota uczyła go nut. Postawił nogę wyżej. – Ha, ha – usłyszał. Cofnął się dwa stopnie niżej. Zagrało czyste G, A, H – przeszło w ha, ha, ha. Gugel zaśmiał się razem z rozchichotanym stopniem. Nawdychałem się trawy, jestem nawalony – miał dość grających schodów. Muszę się przewietrzyć. Wepchnął papierosa w szparę między jedynkami i zeskoczył z pół-piętra.

Źle wymierzył, podwinęła się mu noga. Kuleję, kurdede facto – wytłumaczył sobie, czemu się chwieje. Nie czuł bólu. Usiadł przy poręczy zafascynowany spektaklem.

Dotąd odróżniał wyraźnie dwie wycieczki. Polska była wyblakła i słowiańsko rozlazła. Chłopcy w opadających trendowo spodniach, T-shirtach z tego samego bazaru.

Teraz różnice się zamazały. Jeśli były, to między żeńską i męską energią. Poruszała dziewczęce biodra. Podrzucała im w tańcu piersi. Sutki zataczały tęczowe kręgi pęczniejące w mydlane bańki. Powstawały z nich przezroczyste cycki unoszące się od parteru po strych. Wyfruwały przez otwarte okna. Erotyczne wibracje zwijały się wokół siebie jak węże, iskrzyły w rozpuszczonych włosach wyginających się Sulamitek. W ich czarnych, długich lokach zaplątała się noc. Potrząsały nimi i sypały się gwiazdy. Zwykły łupież – otrzeźwiał. I nie dzwonki brzęczą u ich stóp.

Gugel wypluł peta spomiędzy zębów. Odebrał dzwoniący od dawna telefon. Kurdede facto, kto wynalazł to ustrojstwo? Telefonoff?

– Nareszcie... – Szymon mówił do niego cicho z hotelowej łazienki.

Opatulił głowę frotowym szlafrokiem i ręcznikami. Nie miał już więcej pretekstów, by po północy wyjść na korytarz. Hannę budziło jego wstawanie z łóżka. Dorota wysyłała SMS-y, kilkanaście. Czytał je i łomotało mu serce. Nigdy wcześniej nie domagała się od niego przyjazdu. Nie pisała: „Nie wiem, czy mam siłę czekać, czekać na co? Gdzie jesteś? W ogóle jesteś?", „Ja mam serce, twoje jest gilotyną, zabija moje uczucia", „Odezwij się, kurwa, odezwij".

– Gugel, możesz z nią porozmawiać? Uspokoić?

– Rozkaz. Co powiedzieć? – Wyszedł przed kamienicę.

Letni, pochmurny ranek go ocucił. Nie było tańczących Sulamitek, muzykalnych schodów.

– Najlepiej jedź do niej – zaproponował Szymon.

– Mogę po jedenastej. – Odrętwiałymi palcami szukał na przegubie zegarka.

– A wcześniej?

– Mam Grunwald do odbioru. Co się dzieje?

– Niepokoi się...

– O co?

– Obiecałem, że jeszcze się spotkamy...

– Aha. – Mógł się domyślić. Ustalona wersja: chrzest i akcja wymagająca rozstania, pewnie zmieniła się po nocy z Dorotą. – O której macie samolot?

– O szesnastej.

– Zadzwonię... i co mam jej powiedzieć?

– Sam wyczuj.

– Przyjedziesz?

– Jeżeli akcja się nie przeciągnie.

– To mam powiedzieć?

– Zadzwonię później, wytłumacz. – Rozłączył się.

Z pokoju dobiegły szmery. Hanna miała lekki sen i rajzefiber. Walizki spakowała poprzedniego wieczoru. Rano wybierała się na ostatnią wycieczkę po Warszawie.

Samochód zaskomlał, rozbłyskując przyjaźnie ślepiami reflektorów. Stare subaru nie zachowywało się dotąd w ten sposób. „Zachowywało, dlaczego ożywiam żelastwo?". – Gugel wsiadł do wozu. – Ewelina mieszkała niedaleko. Zastanowił się, czy nie skręcić pod jej dom, nie

wyskandować pod otwartym oknem dusznej klitki: Dzię-
kuję-my! – w swoim imieniu i Eryka. Przyhamował.

Myśli prowadziły go, gdzie chciały, bez kierunku. Logika – zawrócił. To nie od wdychania trawy, za mocne.
Nie wypaliłem skręta, nic tam nie jadłem. Papieros... podał mi go koleś dealera. Paczka papierosów była izraelska, ale co oni napchali do środka?

Dorota podniosła natychmiast słuchawkę.

– Nie śpisz? Nie śpisz? – powtórzył, żeby upewnić się,
czy sam nie śni.

Jej głos był postarzały smutkiem.

Do białej koszuli, frędzli wyłożonych na czarne
spodnie i kapelusza z przyklejonymi pejsami Guglowi
jeszcze czegoś brakowało.

– Marynarka. – Przymierzył ją przed lustrem w drzwiach
szafy.

Rano nie było za gorąco na wywatowaną satynę, zresz-
tą w radiu zapowiadali deszcz i burzę. Strzepnął białe
biurowe paprochy z klap i rękawów. Kołysał się, udając
rozmodlonego chasyda. Okulary dopełniały całości. Okrę-
cił się przed lustrem z wdziękiem modela. – „Nie idę na
pokaz!". – Rozpiął marynarkę, oderwał guzik od koszuli pod kołnierzykiem. Zostawił zwisający na nitce. Zdjął
szkła, zmrużył krótkowzrocznie oczy. Przydałoby się otar-
cie, zacięcie na czole. – „W końcu wracam z niebezpiecznej
akcji... Sińce po nieprzespanej nocy wystarczą".

„Ostatni raz, ostatni – obiecał sobie. – Szymon musi się
zdecydować, żona albo Dorota". On nie będzie więcej kręcił.
Przebierał się za agenta Mosadu przebranego za chasyda.

185

– Nie chce rozmawiać? – Szymon szeptał w telefon, przestraszony stanem Doroty. – Musisz do niej iść. – Zgłośnił pilotem hotelowy telewizor.

– Ja? Ona potrzebuje ciebie. Nie mówiłem ci, myślałem, że jej przejdzie... miesiąc temu ratowałem ją po tabletkach nasennych.

– Mówiła, że wzięła je przez pomyłkę...

– Przez pomyłkę to się obudziła. Szymon, naprawdę nie jest dobrze.

– Domyśla się? – Zmieniał programy, szukając czegoś bardziej hałaśliwego od porannej telewizji śniadaniowej. Zatrzymał obraz na dzienniku CNN.

– Nie wiem, co kobiety myślą, nie wiem. – Gugel miał dość po nieprzespanej nocy. – Ale tak po ludzku, to nie jest w porządku. Dorota cię kocha. Nie wyobraża sobie bez ciebie...

– Będę u niej po jedenastej, wcześniej nie mogę. – Szymon nasłuchiwał, czy Hanna wyszła spod prysznica.

Lubiła rano polewać się na przemian zimnym i gorącym biczem, nie za długo, oszczędnie. W hotelu wkładała foliowy czepek. Korzystając z darmowej wody, zostawała dłużej w kabinie.

– Masz jeszcze ten strój chasyda? – Szymon widział kostium w biurze Gugla.

– Tak.

– Włóż go, idź do niej i powiedz, że do Warszawy przyjechali ludzie z Neturei Karta.

– Kto to jest?

– Dorota wie, widziała w telewizji. Chasydzkie pojeby, fanatycy knujący z Iranem. Zbierają pieniądze na bombę atomową, chcą wysadzić Izrael w powietrze. Wszystko, co nie z nimi, jest pomiotem szatana. Przyjechali na grób cadyka do Leżajska i w Warszawie nocą będą mieli spotkanie z irańskimi agentami.

– Serio?

– Ty jesteś serio czy nie wytrzeźwiałeś? – Szymon słyszał od niego o imprezie na Chłodnej.

Z obawy przed starym Fisherem Gugel pominął marihuanę i chemiczne dodatki.

– Dorota zapyta mnie o szczegóły i się wyłożę. – Pomysł wydawał się mu przekombinowany.

Być pośrednikiem między nią a Szymonem, urządzać dom, robić zakupy, pilnować Dawida to co innego. Z teatralnych przebieranek nie potrafi się jej wytłumaczyć. Kiedyś Szymon powie Dorocie prawdę, jeżeli ją kocha. Wcześniej czy później sama wyjdzie na jaw. Prawda jest logiczna, Dorota ją odkryje, ona myśli i czuje, nie jest kukiełką.

– Gugel, nie musisz nic wiedzieć. Osłaniałeś akcję z daleka. Nie wiesz, co się działo w hotelu, okej? Udawałeś dla niepoznaki chasyda z innej grupy, od tych z Lubawicza, wymyśl.

– Akcja w Bristolu?

– Nie, naprzeciwko, w Europejskim. – Popatrzył przez okno. – Obserwacja i podsłuch, potem eskorta na lotnisko i przekazaliśmy ich dalej. – Zakrył słuchawkę. – Od wpół do siódmej! – odpowiedział Hannie pytającej z łazienki o śniadanie.

Gugel zdążył na przyjazd busa z Grunwaldu. Chciał ich przywitać, zapytać o wrażenia. Robił to mechanicznie, z przylepionym uśmiechem. Całym sobą był jeszcze u zapłakanej Doroty. Przebrany za chasyda grał przed

nią akcję pod Europejskim. Opowieścią o śledzeniu irań-
skich szpiegów i ortodoksyjnych świrach odciągał od jej
własnego szaleństwa. Obaw o Szymona, tęsknoty za nim
i pragnienia, żeby to się wreszcie skończyło: albo są razem, albo niech ją zostawi w spokoju.

Gugel wszedł do busa. Uciszyły się nawet wrzeszczące
dzieciaki walczące na miecze. Kozielski w hełmie z pióro-
puszem przestał żartować z rycerzem Radwańskim. Kobiety pozawijane przed deszczem chustkami zaniemówi-
ły. Olecka i Michałkowa w czepkach stały przy kierowcy
gotowe do wyjścia. Przemoczony Gugel nie zdjął kapelusza. Z doczepionych pod rondem pejsów kapała woda.
Było słychać krople spadające mu na wypastowane czarną odblaskową pastą lakierki.

– No taaak – podsumowała niespodziewany widok
Olecka.

Kozielski miał rację, ukręcono na nich biznes. Ministerstwo Sportu, akurat, wszędzie Żydzi nami rządzą –
Gugel sam zdubbingował sobie nagłą ciszę. Ukłonił się
im, zdejmując kapelusz, i przepuścił w drzwiach.

Pamiątkarskie sklepy na Starówce, bursztyn i len.
Hanna zastanawiała się, czy kupić Miriam biały obrus.
Rozkładała materiał, wpatrywała się w niego. Szukała
skazy albo możliwych plam po koszernych potrawach,
które będą na nim podane.

Szymon potakiwał, zaprzeczał zgodnie z oczekiwaniami. Nosił za nią sklepowe torby, wystukiwał PIN karty
kredytowej.

– Nie jesteś przekonany?

– Chamuda, ty wiesz lepiej, nie znam się.

– Pytam o kamienicę.

– Znajdę coś innego.

– Ale nie żałujesz? – Zmartwił ją dziwny spokój Szymona. Nie wstał energicznie, żeby jak co dnia wyjść na spacer, głośno uderzać w klawiaturę komputera i pomstować na głupoty w gazetach, telewizji. – Przesadziłam z antydepresantem? Skumulował się po miesiącu?

– O jedenastej widzę się z prawnikiem. – Porównał swój zegarek z tarczą zegara nad wejściem do Bristolu. – Zostaniesz w hotelu czy jeszcze się gdzieś wybierasz?

Od burzowych chmur oderwały się pierwsze krople.

– Idzie na deszcz, Puchatku – Hanna przypomniała ulubiony cytat dzieci z książki czytanej im przed snem.

Odważyła się wspomnieć przeszłość i nie wymawiać imienia syna. Uliczny kurz unoszony porywami wiatru mógł być podmuchem czasu. Poddali się mu oboje, szli, biegli do hotelu. Kolorowe torby z zakupami wyrywały się jak trzymane na uwięzi latawce. Obrotowe drzwi kawiarni oddzielały szum kawowego ekspresu od ulewy.

– Idę się przebrać. – Szymon otrząsnął zmoczone nogawki jasnych spodni. – Mam dwadzieścia minut.

Hanna kupiła w kiosku gazety i poszła do kawiarni.

W bagażach miała książki. Pierwszy raz od pięćdziesięciu lat przeczyta je po polsku. Przy stoliku wyjęła notes. Wysunęła z butów otarte stopy. Nosiła pończochy w największe upały, zgodnie z kodem przestarzałej elegancji. Bez nich czuła się nieprzyzwoicie naga. Do seksu zdejmowała je na samym końcu albo w ogóle, Szymon to lubił. Była w nich dziewczyną z kabaretu, seksownie zgrabną. Była... już nie jest.

Kropla deszczu na szybie kawiarni torowała sobie drogę między wolniejszymi. Hanna wrzuciła kostkę cukru do kawy. „Nie jestem zmęczona, jestem stara. Moja mama na starość też miała zeszycik, niebieski. Wpisywała w nim wydatki. Nie byli na tyle zamożni, żeby mogła odpocząć. Przestać myśleć, myśleć, że nimi nie są, tak przekornie powiedziałby ojciec" – Hanna uśmiechnęła się do czarnej tafli w filiżance. – „My mieliśmy pieniądze. Szymon czegoś się nauczył, jest ostrożniejszy. Nie umie jednak oszczędzać. Ten hotel... naprzeciwko jest tańszy. Rozumiem, gdyby chciał zrobić mi przyjemność, pokazać tę swoją Polskę od najlepszej strony... w Leżajsku, w byle klitce też było miło".

– Rachunek – poprosiła kelnerkę.

W drodze do pokoju Hanna zatrzymała się przed recepcją. Znała cennik, obejrzała go przy meldowaniu. Nie miała wtedy porównania, co ile w Polsce kosztuje. W każdym razie hotele proponują programy lojalnościowe. Warto o nie w Bristolu zapytać. Szymon uważał jej oszczędzanie, zbieranie punktów i bonów zniżkowych za dziwactwo. Dlaczego miałaby wyrzucać pieniądze, nawet te „wycięte z gazety" czy reklamówek. Lippmanowie nie wstydzili się biedy. Poprawiła odpinający się kolczyk. Głupoty i hucpy tak, nigdy oszczędności.

– Dzisiaj wyjeżdżamy. – Nie pomyślałaby wcześniej, że zabrzmi to nostalgicznie.

– Chciałaby pani przedłużyć dobę? Numer pokoju... – Recepcjonista przesuwał opuszkami palców po ekranie komputera.

– Czy stali klienci dostają zniżkę? Mój mąż często się tu zatrzymuje... Szymon Golberg.

– Już patrzę... przykro mi, niestety, brakuje jeszcze punktów.

– Brakuje? Śpi u was od trzech lat, trzeba być rezydentem?

– W bazie danych jest tylko jeden nocleg, od dziesiątego lipca do dzisiaj.

– Komputery. – Machnęła lekceważąco notesem. – Proszę dokładniej sprawdzić.

Szymon, ucząc Miriam informatyki, rozbierał je na części i powtarzał: „Nie ufaj niczemu z IQ mniejszym od kartofla".

– Golberg... jeden nocleg – usłużnie potwierdził recepcjonista.

– Nie może być pomyłki?

Szklana winda zatrzymała się w holu. Wysiadł z niej Szymon. Hanna podeszła do niego, gdy wybierał parasol ze stojaka przygotowanego dla gości. Jeśli to nie pomyłka i nie spał wcześniej w Bristolu, kolumny podtrzymujące strop powinny się zawalić. Ruiny zakryłyby kłamstwo i pogrzebały nas żywcem – przychodziły jej na myśl biblijne obrazy zniszczenia.

– Szymon. – Dotknęła jego letniej marynarki.

Prawie podskoczył z zaskoczenia.

– Będę za dwie godziny... o, jest moja taksówka. – Uścisnął skostniałą dłoń Hanny. – Chamuda, połóż się, źle wyglądasz, rajzefiber cię wykończy, napij się czegoś na rozluźnienie. W lodówce jest koniak, otwarty. – Przewidział jej protest. Po co przepłacać w hotelu?

Pocałował ją i poszedł korytarzem do bocznego wyjścia przy kawiarni. Krócej byłoby holem, ale unikał pompy głównych drzwi z przebranymi w liberię portierami.

Groteskowe mundury, teatralne ceremonie żenowały Szymona. Sprawiały, że sam się czuł postacią z operetki. Zostawiał żonę, jechał po kryjomu do Piaseczna, do szlochającej w telefon Doroty.

Nie wiedział, co jej tym razem powiedzieć. Usprawiedliwieniem był bilet lotniczy. Nie będzie mógł zostać dłużej niż dwie godziny.

Miała nad nim władzę. Kobieca intuicja i jego słabość. Z porannej audycji śniadaniowej dowiedział się o czymś, co nie dawało mu spokoju: Kluczem do męskiej osobowości są słowa „władza" i „panowanie". Kobiety definiuje słowo „kochać" – wymądrzał się profesorek, pokazując okładkę swojej książki. Szymon początkowo nie zamierzał go słuchać. Telewizor grał głośno, zagłuszając rozmowę z Guglem, na wypadek gdyby Hanna niespodziewanie wyszła spod prysznica. Odłożył telefon i zapatrzył się w ekran.

Redaktorka w studiu udającym domową kuchnię mówiła wolno, jakby dopiero się obudziła i szminka jeszcze sklejała jej usta. Powtarzała za trajkoczącym profesorem, przekładając jego napompowane terminologią zdania na ludzki: „Kobieta jest w kontakcie ze światem i sobą samą poprzez uczucia. Jej samoświadomość, kim jest, wspiera pewność emocji. Mężczyzna, pozbawiony kontaktu ze swoimi uczuciami przez «męskie» – podniosła palce, zaznaczając cudzysłów – wychowanie, kontaktuje się z samym sobą poprzez kontrolę. Dlatego używa siły, przemocy, inaczej nie czując siebie. Wie, że jest, kiedy zapanuje nad swoją niepewnością i bezradnością. Dlatego «panowanie» to męskie słowo-klucz, «kochać» – kobiece. Tak, panie profesorze?".

Ostatniej nocy Dorota przestawała być sobą. Pisała SMS-y, nagrywała wiadomości, jak od kogoś innego.

Desperacja kobiety żądającej natychmiast dowodu, że jest kochana. „Nie obchodzi mnie, gdzie jesteś, obiecałeś przyjechać, jeżeli mnie kochasz". Tracąc kontakt ze mną, straciła go ze sobą? Szymon obwiniał siebie o przekroczenie granic jej wytrzymałości.

On decydował o ich spotkaniach. Bywał w Polsce na tyle długo i często, żeby nie wzbudzić podejrzeń Hanny. Wzbudził w końcu podejrzliwość Doroty. Przypomniała mu, że ma obowiązki wobec Dawida, „jeżeli go kocha". „Kochać" – rzeczywiście najczęściej pojawiało się w jej SMS-ach tej nocy.

Redaktorka zaprotestowała przeciw profesorskim słowom: „Kobieta oddaje się, chcąc mieć władzę, mężczyzna nie musi. On dostaje władzę od podporządkowanych mu mężczyzn". Szymona nie interesowało oburzenie rozmawiającej z profesorem redaktorki. Miriam miała od niej bardziej skrajne poglądy. Któryś z internautów napisał pod jej komentarzem o traktowaniu kobiet: Feminazistka. Odnalazła go po adresach internetowych. Poczekała przed domem i dała w twarz. Wiedział, za co, nie oddał. Według Szymona obezwładniła go uroda Miriam. Była stokroć ładniejsza od wymalowanej na ślicznotkę redaktorki. I co z tego, ani piękno, ani inteligencja nie uchroniły Miriam przed wdepnięciem w średniowiecze. Władza jest do zdobycia, na szczycie i mężczyzna, idąc po nią, robi karierę. Miłość znajduje się niekiedy na dnie, dlatego córki są strapieniem rodziców... – powtórzył zasłyszaną gdzieś mądrość.

Profesor mówił spokojnie, znał życie. Nie przypominał teoretyka usychającego za biurkiem. Pewnie oddało mu się wiele studentek – stwierdził Szymon i wyłączył telewizor. A on na ten czas z przyjemnością oddał im władzę.

Gdyby to było takie proste, coś za coś. Uchylił szybę taksówki przed wjazdem na osiedle. – „Chroniąc tutaj Dorotę, nie przewidziałem, że muszę ją chronić przed nią samą. Jest za wrażliwa, za bardzo... ja za bardzo ją kocham, nie można kochać inaczej".

Podniósł się szlaban i na osiedle w Piasecznie wjechała biała taksówka Szymona, za nią druga. Złapana przez Hannę pod hotelem.

– Miała pani szczęście, dopiero co wyjechałem, nie ma wolnych, leje. – Taksówkarz nasłuchiwał kobiecych głosów z centrali powtarzających monotonnie: „Najwcześniej za pół godziny, proszę czekać"... – Dokąd jedziemy? – Kierowca ustawił lusterko, żeby lepiej ją widzieć.

Wycieraczki zacinały się i biały samochód z Szymonem rozpływał się w deszczu.

– Za taksówką przed nami. Nic nie widać. – Hannę niepokoiło znikanie w ulewie taksówki Szymona.

– Psze się nie martwić. Znam miasto na pamięć, jeżdżę od trzydziestu lat. Dokąd pani sobie życzy?

– Powiedziałam...

– Może jest lepsza trasa, miasto w deszcz zakorkowane. Ja warszawiak, znam na pamięć... klienci też. Klient płaci, klient wymaga, starsi ludzie każą jechać jak autobus, bo się przyzwyczaili. Ze mną problemu nie ma, bezwypadkowy jestem. Samo szczęście nie wystarczy. Dużo czytam. Na postojach mam czas. – Z siedzenia obok podniósł rozłożoną książkę. – Child, ulubiony autor Clintona! – wyrecytował opis z obwoluty. – Inteligentny kryminał. Clinton też łepski facet, z tą Levinską mu się udało...

194

Hanna odkleiła od koronkowego stanika przemoczoną jedwabną bluzkę. Wybiegając za Szymonem, nie pomyślała o parasolu. O niczym nie myślała. Poddała się sile przyzwyczajenia; przerażona, chciała być z nim. Okłamał ją? Gdzie sypiał w Polsce? Gdzie jechał ostatniego dnia, podpisać rezygnację u prawnika? Biuro miało być niedaleko Chłodnej. Do kogoś innego? Szymon i kochanka?

– Druga strefa. – Taksówkarz przestawił licznik.

– Strefa? – rozmawiała z tyłem jego łysiejącej głowy i pożółkłymi oczami wyciętymi paskiem lusterka.

– Wyjeżdżamy z miasta, na Piaseczno.

– Szybciej! – Nie wiedziała, co oddziela szlaban na ulicy, w którą wjechali. Osiedle bloków, razem dwie taksówki przepuszczą.

Szymon wysiadł, nie rozglądając się, pewnie. Nacisnął domofon i zamknęły się za nim drzwi.

– Kończymy czy poczekać? – Taksówkarz zatrzymał wycieraczki, przestało padać.

Nie dowiem się niczego, zostając pod domem – Hanna umiałaby się dostać do środka, ale co dalej? Podsłuchiwać, dzwonić po mieszkaniach i udawać zagubioną? Zbierać na akcję charytatywną?

Blok był zamożny. Drogie samochody, solidne bramy i ogrodzenie. Tarasy udekorowane kwiatami. Na jednym z nich stał Gugel. Zamyślony palił papierosa. Hanna odetchnęła. Szymon przyjechał po niego, może tutaj umówili się z prawnikiem.

– Wracamy. – Szturchnęła przyjacielsko plecy taksówkarza.

Ruszyli, taras był lepiej widoczny. W jego głębi Szymon z młodą kobietą. Trzymała go za rękę, weszli do pokoju.

Hanna nie wiedziała, co krzyknęła komuś w domofon: Poczta? Przesyłka? Odnalazła mieszkanie, na którego balkonie palił Gugel. Nie przygotowała sobie wytłumaczenia, po co przyszła, dlaczego śledziła Szymona. Zdała się na instynkt: walcząc o męża, walczy o własne życie. Nacisnęła dzwonek.

Dawid spał, Szymon z Dorotą poszli się godzić do sypialni. Gugel właśnie wychodził. Po nieprzespanej nocy marzył się mu odpoczynek. Słysząc dzwonek, odruchowo spojrzał w wizjer. Nie musiał, po strzeżonym osiedlu nie kręcili się domokrążcy.

– Zaraz. – Nie był pewien, czy mówi do siebie, czy do zjawy po drugiej stronie drzwi.

Hanna? Papieros nafaszerowany chemią nie przestał działać, *flashback*?

– Zaraz – powtórzył i cofnął się, utykając.

Nadwyrężona skokiem ze schodów noga przydała się rano jako żywy rekwizyt ubarwiający szpiegowską historię. „Kulejesz" – współczuła mu Dorota, wyobrażając sobie niebezpieczny pościg.

Spuchnięta kostka utrudniała mu teraz błyskawiczne ruchy.

– Szymon! – Załomotał do sypialni. – Hanna! Otwórz jej, zagadaj – komenderował. – My sprzątamy! – Pociągnął za sobą Dorotę. – To agentka Mosadu, sprawdza Szymona. – Otwierał szuflady i zrzucał w nie z szafek i komód rodzinne fotografie.

– Co? – Panika napędzająca Gugla ją obezwładniła.

– Pomóż mi, szybko. Są niby małżeństwem na czas

akcji. – Rozejrzał się za ubraniami Szymona. – Gdzie coś jeszcze jest?!

– Hanna. – Szymon przepuścił ją przed sobą do salonu. – Dorota, Gugla znasz...

– O, co za niespodziewana wizyta... a my sprzątamy...

– Przepraszam. Zmienili nam godzinę odlotu – powtórzyła opowiedzianą przed chwilą historyjkę, podając dłoń Dorocie. – I nie było zasięgu. Potem nie odbierał – to udało się jej zgadnąć.

Szymon w Polsce często tracił zasięg. Spotykając się z warszawskim prawnikiem, załatwiając biznesowe sprawy, wyłączał telefon.

– Fakt – potwierdził.

– Mogłeś nie zdążyć. – Poprawiła mu troskliwie kołnierzyk rozpiętej koszuli.

– Musicie już iść? – Gugel miał nadzieję, że natychmiast.

Obawiał się o przeoczone w pośpiechu fotografie, rzeczy należące ewidentnie do Szymona. Znał zasadzki mrocznej podświadomości. Jej nie uda się posprzątać. Zawsze zostawi gdzieś ślad demaskujący oszustwo. Zapomniany przedmiot, przejęzyczenie.

– Wylot jest o czternastej, jeśli znowu nie zmienią – zmyślała Hanna, usprawiedliwiając swoje wtargnięcie.

Przekonała się, że śliczna dziewczyna była z Guglem. Objął ją w pasie.

– Może wody? – Wywinęła się mu. Hannie podała szklankę wody. – Proszę. – Wskazała fotel i sama usiadła.

Dorota, od kiedy znała Szymona, usiłowała wyobrazić sobie jego współpracowników. Z kim spędza dnie i noce zamknięty w centrum dowodzenia, może czasem na wyjazdach. Mosad nie zatrudnia samych mężczyzn. Agentka, która za nim przyszła, nie była dziewczyną Bonda. Elegancka, w prostej, kremowej spódnicy, zgrabna, z dużym biustem i ładnymi nogami. Przenikliwe brązowe oczy nie były wrednymi ślepiami kociaka. Mogłaby być jego starszą siostrą, nie kochanką. W czymś go przypominała – Dorota przyglądała się jej z udawaną życzliwością gospodyni. Ludzie upodabniają się do siebie w długich związkach albo ich tak dobierają przez lata szkoleń.

– Nie mówiłeś nic o żonie. – Hanna przyjrzała się palcom Gugla.

– Nie jesteśmy małżeństwem, mieszkamy razem.

Szymon w kieszeni marynarki dyskretnie nakładał zdjętą w taksówce obrączkę.

– Od dawna? – Hanna położyła dłoń na udzie siedzącego obok męża. – My jesteśmy razem czterdzieści lat.

– My kilka... trzy, dobrze liczę, kochanie? – Gugel pocałował Dorotę w szyję.

– Będziemy już szli, załatwisz to dzisiaj? – Szymon odłożył teczkę na kredens. – Notariusz przesunął spotkanie – zwrócił się do Hanny.

– Słusznie takie kamienice nazywają studniami. – Dyskretnie zlizała z zębów szminkę, pobrudziła je, zagryzając na korytarzu usta. – Inwestycją bez dna. Czekają nas inne wydatki. Ile metrów ma to mieszkanie? – Rozluźniła się, z przyjemnością oglądała pejzaże oprawione w złote ramy, nowoczesne meble.

– Osiemdziesiąt sześć – Gugel uprzedził Szymona, przyzwyczajonego odpowiadać swojej żonie.

– Na kredyt?

– Kto ma gotówkę? Można powiedzieć, że finansuje je Szymon. – Gugel skłonił się mu, nie podnosząc z kanapy. – Gdybym nie pracował w Sancie, nie daliby mi kredytu.

Boże, kłamią, jakby mówili prawdę – Dorota podziwiała ich profesjonalizm.

Szymon opowiadał jej o treningach psychologicznych, szkoleniach. „Dobre kłamstwo musi być w części prawdziwe" – objaśniał jej zasady idealnego kamuflażu. Od tego zależało życie agentów, od podszywania się pod różne osoby. Wiedziała o tym z filmów szpiegowskich.

Wolała się nie odzywać, nie wtrącić czegoś, co ujawniłoby jej związek z Szymonem. Agentka przyszła za nim. Niczego nie podejrzewał, jest zaskoczony – Dorota na tyle go znała. Świetnie odgrywa jej męża. Poczuła zazdrość, idiotyczną w sytuacji, kiedy trzeba go chronić przed tą Hanną.

– Zamówię taksówkę – Gugel nie mógł znieść napięcia. – Pokazać wam osiedle? – Chciał ich szybko wyprowadzić.

– Herbaty? Kawy? – zaproponowała Dorota.

– Kawy? – zapytał bardziej ją niż Hannę i Szymona. Dlaczego przedłuża wizytę idiotyczną gościnnością?

– Macie miętową? – Hanna powstrzymała Szymona. – Ty już więcej kawy nie pij, rano wziąłeś dwa espresso.

Gugel zerwał się za Dorotą.

– Co z twoją nogą? – zaniepokoiła się Hanna.

– A nic, drobiazg, źle zeskoczyłem ze schodów.

W kuchni trzaskali szafkami, hałasowali szkłem, zagłuszając szeptaną rozmowę.

– Zwariowałaś, kurdede facto?

– Ja? – Dorota była opanowana.

Nikt, co prawda, nie przygotował jej do wojny psychologicznej, ale ona broniła przyszłości synka, swojej miłości.

– Gdzie ty byś z nimi poszedł? O tej porze wyprowadza się dzieci. – Dawid wyjątkowo tego dnia padł przed południem. – Szymona wszyscy znają, człowieku.

– Piękną ma Gugel dziewczynę, nie mówiłeś. – Hanna rozglądała się po salonie. – Kto by pomyślał, tacy młodzi...

– Nie wygląda, ale mówiłem ci, to wyjątkowy chłopak. Nie zwierzam się mu z mojego życia, on mi też nie. – Szymon zakasłał.

– Bardzo ją kocha, to widać. – Zerknęła na męża z czułością mającą wynagrodzić krzywdzące podejrzenia. – Dobrze się czujesz? – Złapała go za puls. – Brałeś lekarstwa?

– Brałem, to upał.

– Gorąco? – Dorota prawie uklękła przed Szymonem, kładąc na ławie tacę z herbatą.

– Taksówka już przyjechała. – Gugel zamknął taras.

– To dobrze, nie chcę się denerwować samolotem. – Wypił łyk i odstawił filiżankę, potrącając talerzyk.

– Tata? – Do pokoju wbiegł zaspany Dawid.

Dorota złapała go i kręciła nim, aż stracił orientację.

– Tata. – Wypadło teraz na Gugla.

– Słodki chłopczyk – zachwyciła się Hanna. – Do kogo bardziej podobny? – Porównywała ich twarze. – Do ciebie, kochana, ale rzęsy i uśmiech Gugla. Jak masz na imię? – Pogłaskała go po blond lokach.

– Dawid. – Dorota odpowiedziała za niego. – On jeszcze nie mówi. – Dała mu łyżeczki do zabawy i podsunęła pustą filiżankę. Niech ją rozbije, zrobi cokolwiek, byle nie wołał Szymona – modliła się w myślach.

– A jak mówi, to nie wie co, ma dwa latka. – Gugel odstawił go na dywan.

– Nasza córka będzie mieć niedługo takiego szkraba – z przyjemnością wymówiła słowo używane kiedyś przez jej matkę pilnującą Saula i Miriam.

Dawid zajął się łyżeczkami, walił nimi po ławie i tacy.

– Piękne wyczucie rytmu – pochwaliła go Hanna. – Ma słuch. – Idąc do przedpokoju, przesunęła dłonią po otwartym fortepianie.

Pierścionek i obrączka zaczepiły o czarne klawisze.

– Dorota gra genialnie Chopina. – Gugel nie zamierzał rozpoczynać rozmowy, ale wypadało się pochwalić zdolną dziewczyną, matką jego dziecka. Pocałował Dorotę we włosy. Podkręcało go, że może to robić bezkarnie przy Szymonie.

– Genialnie, przesadzasz. Skończyłam tylko szkołę muzyczną.

– Uczysz grania? – Hanna z uprzejmości zainteresowała się pracą Doroty.

– Uczyłam w podstawówce, od urodzenia Dawida jestem w domu.

– No tak. Miriam nie gra... – Hanna zatrzymała się. Wspominanie o skrzypcach Saula byłoby zbyt bolesne. – Pożegnasz się z nami? – zawołała do Dawida.

Rzucił łyżeczki i wymachując rączkami, pokazał Szymonowi: Zabierz mnie na spacer.

– On niedosłyszy? – zdziwiła się Hanna.

– Nie. To nowa metoda porozumiewania się z małymi dziećmi. – Gugel odciągnął Dawida od Szymona. –

W chowanego? – zaproponował szeptem jego ulubioną zabawę.

Mały uciekł z piskiem.

– Powiedział – Dorota tłumaczyła Hannie – „Chcę obiad i spacer". Szkoda, że już musicie lecieć. Może następnym razem wpadniecie na dłużej, Szymon, tak rzadko nas odwiedzasz. – Podała mu rękę.

– Na przyjemność zawsze brakuje czasu, Dorotko.

Dawid stał cierpliwie, ukryty w swoim pokoju. Gugel przykuśtykał się pożegnać.

– Nie, tak nie może być, pokaż. – Hanna podciągnęła mu nogawkę.

– Rano nie była spuchnięta.

Skóra wokół kostki zsiniała.

– Macie apteczkę, bandaż? – Ostrożnie wyginała stopę Gugla.

– Hanna, taksówka czeka – przypomniał Szymon.

– Poczeka. Dorota, soda, proszek do pieczenia ciasta; używasz? Przynieś mi szklankę. – Wsparła kuśtykającego Gugla. – Nie można tego tak zostawić, nie uczyli was pierwszej pomocy? – Weszli do łazienki.

Posadziła go na brzegu wanny.

– Nogi do środka. – Pomogła mu przełożyć stopy. – Gdzie są opatrunki?

– Za lustrem, w szafce.

Przesunęła taflę.

– Sprytne. – Otworzyła ukryte za nią półki.

Stały na nich kosmetyki, pasta do zębów, elektryczna szczoteczka i opakowania leków. Nie znalazła bandaży.

– Niżej – kierował nią Gugel.

Zmoczyła gazę w przyniesionej przez Dorotę szklance sody.

– Pomóc w czymś? – Otarła mu pot z czoła.

– Nie trzeba. Synek cię woła – odesłała ją Hanna.

Dawid przegalopował z krzykiem przez mieszkanie. Woda w szklance podawanej przez Dorotę drżała. Hanna dostrzegła wreszcie w tej wyniosłej dziewczynie jakieś emocje. „Ona też go kocha". Chciała w to wierzyć. „Jest zajęta dzieckiem, umęczona. Macierzyńskie otępienie".

– Auuu! – Gugel z bólu uderzył pięścią w ścianę.

– Przepraszam. – Hanna poluzowała wiązanie. – Gdyby opuchlizna nie zeszła do wieczora, musisz pokazać się lekarzowi, dobrze?

– Taksówkarz dzwoni z dołu! – zawołał Szymon.

– Tylko umyję ręce – odkrzyknęła. – Pozwolisz? – wyprosiła Gugla.

Puściła wodę w kranie. Otworzyła górną szafkę. Mogła się mylić, bywają podobne fiolki. Przysunęła się z brązową buteleczką do łazienkowego okna przesłoniętego paprocią. Hebrajskie litery, adres telawiwskiej apteki, Golberg i data sprzed trzech miesięcy z zaleceniem: jedna codziennie rano. W butelce zostały dwie tabletki.

IV

– Powiedziałam: NIE!!! – Hanna nie mogła opanować wściekłości.

Czego ta głupia dziewczyna wytrzeszcza na nią krowie oczy. Jest młoda, bezczelnie młoda i sądzi, że to usprawiedliwi jej tępotę. Wypnie facetom tyłek, trzepnie rzęsami i po problemie. Cukiereczek dla śliniących się idiotów. Głupia krowa.

– Zabierz to stąd! – Prawie rzuciła w nią butelką.

Stewardesa linii El Al posłusznie wymieniła białe wino na czerwone.

Szymon był zbyt zaskoczony, by przepraszać za żonę. Hanna nigdy nie poniżała kelnerów czy sprzątaczek. Na Karinę złościła się, ale nie przy niej. Współczuła biednej emigrantce, samotnej matce. Pocieszała Sarę, koleżankę Miriam, zwierzającą się z poniewierania stewardesami. Skąd ten wybuch wściekłości? – „Prawdopodobnie nie wiem wszystkiego". – Szymon odpiął pas bezpieczeństwa, potrzebował swobody. Podobało się jej w Polsce. Wspominała o zaproszeniu Miriam i Arona do Leżajska. Dawno nie była w takiej euforii. Kupowała obrusy, naszyjniki z bursztynu. Santa przekroczyła jej oczekiwania. Dawno go tak nie podziwiała.

– Szymon – oglądała halę z oszklonego biura na piętrze – jesteś fabrykantem – śmiała się, otwierając paczkę z przysłanymi wizytówkami: „Santa – Fabryka Ozdób Świątecznych, Szymon Golberg".

– Chamuda, to zwykłe bańki. – Rzucił z góry uszkodzoną bombkę.

Widziała z bliska solidny ceglany budynek, kilkanaście stanowisk pracy, magazyn z nalepionymi adresami w Stanach Zjednoczonych, Argentynie, Australii.

Przed wylotem była zdenerwowana. Zrozumiałe, bez przerwy zmieniali godziny. W samolocie napięcie minęło. „Dekompresja" – powiedziałaby Miriam, kiedyś maniaczka nurkowania, specjalistka od wynurzania się z głębin. Nie wiadomo, ile kosztowało Hannę wydobycie się z wieloletniej niechęci, obaw przed Polską. W dojrzałym wieku zmienić poglądy. Odważyć się przyjechać do kraju pogardy, wspomnień, złych i tych dobrych, dawno ukrytych...

Szymon też nie był w formie. Bolało go serce, opuchły nogi. Zdjął buty i uporczywie poprawiał je pod lotniczym fotelem. Musiały stać równo, co do milimetra, idealnie.

Wziął w hotelu więcej tabletek. Pulsujące ciśnienie dobijało się od środka jak sumienie. Groziło rozsadzeniem głowy i serca. O mało co Hanna dowiedziałaby się o Dorocie. Przestrzegana procedura środków ostrożności zawiodła. Nie da się przewidzieć... przypadku. Należy go wziąć pod uwagę, dane statystyczne obdzielają tym samym każdego. Różna jest wielkość dawki, rozcieńczanej jeden do ośmiu tysięcy, jeden do ośmiu milionów prawdopodobieństwa. Czy nie na tym opiera się homeopatia? Według Hanny skuteczna, ale na wielu nie działa. Homeopatyczna substancja rozcieńczana kilkadziesiąt tysięcy razy, prawie nic. My też jesteśmy niczym, w zawiesinie przypadków. Po komendzie „Zapiąć pasy" wyświetlonej nad fotelem zrobił to, co żona – przymknął oczy.

Hanna udawała drzemkę. Zawstydzenie bezsensowną napaścią na stewardesę było niczym w porównaniu z upokorzeniem zdradzonej kobiety. Huk silnika powinien być pomrukiem rozgniewanych niebios, gdyby istniały. Był tylko jej gniew. Rozszarpałaby Szymona. Z żałości schowałaby się w najdalszy kąt i wyła. Między jedną a drugą skrajnością bezruch. Siedzenie przy mężu. Bycie z nim, w podróży, dokąd? Do Polski, jeżeli pewnego dnia powie: Odchodzę?

Za dużo zbiegów okoliczności świadczyło przeciwko niemu: Bristol, leki nasercowe. Intuicja podpowiadała jej: winny. Przeżywał drugą młodość. Drugie życie, którego może by zaznał, nie wyjeżdżając. Znalazłby sobie jakąś Dorotę, urodziłoby się im dziecko. Dawid miał kruche ciałko, niesamowite oczy pod długimi rzęsami, jego oczy. Wyjazd Szymona w latach sześćdziesiątych do Izraela nie był przeznaczeniem. Podłączył się do przeznaczenia Żydów. On miał wybór.

Po śmierci Saula, nawet gdyby mogła, nie urodziłaby następnego dziecka. Nikt nie mógł go zastąpić.

Nienawidziła Szymona i siebie za udawany spokój niewiedzy. Wysiądą z samolotu, przejdą kontrolę, pojadą do Tel Awiwu. Ten sam zgrzyt klucza w zamku, te same domowe odgłosy domu, którego nie ma. Zabrała go jej tamta kobieta... Dorota. Słyszała już to imię... w rozmowie przez telefon? Powiedział je Gugel albo Szymon. Kim musiała być ta Polka, by znieść bez żenady jej wizytę. Udawała dziewczynę Gugla. Nie, to nie może być prawda –

obtarła łzy. Czterdzieści lat, nie da ich sobie zabrać blond lalce, nawet jeśli Szymon obdarzył ją swoim życiem – Dawidem.

– Mamo, mamo! – Miriam potrząsnęła śpiącą na krześle Hanną. – Co ci jest?

– Nic, wzięłam na sen, nie spałam w nocy.

– Myślisz, że ja zasnę? – Chodziła wokół kuchennego stołu.

Hanna wyprostowała przekrzywioną we śnie głowę. Bolała ją szyja. Nadwyrężone mięśnie przywracały ciało porzucone w chemicznym letargu. Wydawało się jej, że śpi. Ani na moment nie przestała myśleć o Szymonie. Nasłuchiwała jego rozmów telefonicznych, sprawdzała SMS-y. Żadnych śladów, z Guglem mówił o interesach. Przeszukała w pracowni listy, zajrzała też do urzędowych z Polski, Izraela.

Miriam przyjechała po sprzęt do nurkowania. Znalazła kupca. To był pretekst. Chciała prosić ojca o pożyczkę. Poszedł do banku. Przejmował się jej wizytą, ale nie tak jak matka. Niewyspana, postarzała.

– Nic mi nie jest, córeczko, zmiana wody, jedzenia.

Ojciec, wychodząc, zapytał, czy po drodze przynieść z apteki coś na żołądek. Jemu można było wmówić niestrawność. Hanna była dla niego zdrowa albo chora, w dobrym humorze albo marudziła. Miriam rozpoznawała o wiele więcej, nie dawała się zbyć kategorycznym: „Nic mi nie jest".

W nastoletnim buncie odróżniała niuanse nastrojów matki. Od nich zależało, czy dostanie pozwolenie na imprezę, większe kieszonkowe. Śmierć Saula nauczyła ją rozpoznawać tunel nieszczęścia. Wchodziło się do niego, zaglądając w podobnie zrozpaczone oczy. Radość nie dawała takiego porozumienia. Kiedy patrzyły na siebie szczęśliwe? Na weselu? Matka, nie chcąc jej sprawiać przykrości, udawała wesołość.

Czym przy nieszczęściu przywiezionym przez nią z Polski był brak kredytu? Złośliwe powiedzonka Arona: „Córki milionerów jak pucybuci zaczynają od zera", albo odrętwienie przed modlitwą wypowiadaną po przebudzeniu: *„Mode ani lefanecha...* Dzięki Ci, królu żyjący i trwający, że zwróciłeś mi moją duszę...".

Leżajsk, cadyk, polska kochanka. Miriam usiadła na zaciśniętych pięściach. Gdyby nie przygnębiony głos matki, mogłaby myśleć, że słucha opowiadania Singera. On miewał kilka kobiet naraz. Doprowadził do mistrzostwa grę pozorów. Wycyzelował z tego powieść.

Już dawno przestała lubić Singera za mieszanie grzechu z pobożnością. Cudzołóstwo obraża Boga i niszczy ludzką duszę. Grzech jest trądem, zaraża samo słuchanie o nim, o własnym ojcu? Miriam chodziła od ściany do ściany rodzinnego salonu, wróciła do kuchni.

– Mamo, wykończysz się, w imię czego?

– Może ja sobie to wszystko wymyśliłam?

– Powiedz mu.

– Gdyby to było takie proste... – Hanna nie znalazła dobrego rozwiązania.

Szymon nie zostawił jej dla tamtej, mimo że mają dziecko. Nie wyjeżdża do Polski dłużej niż na tydzień, dwa. Dorota wie o niej i nie wymusiła: ja albo żona. Dlaczego? Na co czeka Szymon? A jeżeli tak ma być na stałe? Co zyska, mówiąc mu: „Wiem"? Nie ma dwudziestu paru lat jak tamta, nie ułoży sobie życia. Rozwód? Co dałby rozwód?

Nie potrafi przestać myśleć o nim. On... po czterdziestu latach jest drugą naturą Szymona. Seks... ma go z młodą siksą, jeżeli ma... Powie mu: „Wybieraj!". I wybierze tamtą? Zdrada? A co to jest zdrada, że spał z inną? Może jest z nią dla dziecka. Nie urodzę mu syna. Upokorzę samą siebie, zostając z nim i mówiąc: „Wszystko wiem". Co ja na dobrą sprawę wiem? Obwiniała się o obarczenie Miriam swoim ciężarem.

Córka drżała w czarnym sweterku, włożonym mimo letniego dnia.

– Co nie jest proste, mamo? Co? Chcesz dowodów?

Nie czekała na pozwolenie. Poszła do pracowni. Hanna bardziej od prawdy bała się wmieszania córki w ich sprawy. Dla niej skomplikowane było proste, biało-czarne.

– Pilnuj, czy nie wraca. – Miriam włączyła komputer.

Hasło? Proste do odgadnięcia. Ojciec uczył ją szyfrować imiona, daty. Kilkuletnia, siedziała mu na kolanach, bawiąc się w układanie najprostszych programów. Otworzyła pliki firmowe, korespondencja, rachunki, szukała po datach. Szybciej, prędkość rozmazywała cyfry, zanim wyostrzyły się w polu widzenia.

– Dorota? – Zwolniła. – Dorota Sikorska?

– Tak. Kończ! – Hanna złapała ją za sweter.

– Minuta.

– Idzie. Miriam, ani słowa, ani słowa.

– Dobrze. Chwila. – Jeszcze nigdy cyfry nie układały się w opis czegoś tak perfidnego.

Nie oddałaby tego najohydniejsza grafika komputerowa. Grzech przeliczalny na liczby. W kabalistycznej gematrii słowa miały wartość liczbową. Miriam pamiętała wartość słowa grzech, okrucieństwo, piekło. Jej pamięć działała mimowolnie, zbierała kurz informacji. Odkryte rachunki ojca niszczyły to, co o nim wiedziała, za co go kochała, kim był.

– Pójdziemy do kawiarni? – Szymon w kuchni oddał Hannie foliową siatkę z lekarstwami zapakowanymi „dla pani doktor" przez aptekarkę.

– Wolałabym nie.

– Nana pomoże ci na żołądek. Chamuda, mamy piękny dzień. Dla Miriam znajdziemy coś *koszer*.

– Ja nie mogę! – zawołała z pokoju. – Powiedziałam Aronowi...

– Jesteś na przepustce czy co?

– Dowiedziałeś się czegoś? – Hanna nie wierzyła już w spacery Szymona dla zdrowia.

Wystarczyło zadzwonić do banku. „Czynnik ludzki jest najważniejszy w interesach" – dodał, gdyby miały wątpliwości, dlaczego je zostawia.

– Miriam, muszę ci coś pokazać. – Zabrał ją do przyciemnionej pracowni.

Nie zorientował się, że jego komputer był przed chwilą używany. Nie potrzebował specjalnego systemu zewnętrznych zabezpieczeń. Przed kim? Hanna zapominała, którym guzikiem włączyć ekran.

Nasłuchiwała z pokoju, podlewając fikusy. Specjalną odmianę wyhodowaną na potrzeby NASA. Kupiła przed wyjazdem. Zachwalał je znajomy kwiaciarz. Produkowały więcej tlenu dla kosmonautów. Na Ziemi przydawały się w zamkniętych, klimatyzowanych pomieszczeniach. Hanna przypominała sobie nieistotne fakty, żeby zagłuszyć strach. Miały system nawadniający korzenie. Podczas ich wyjazdu do Polski wysuszyły się im liście. Obrywała uschnięte, pozwijane w zaschłe pączki.

– Tyle mam do spłaty – Szymon przesunął kursor, zakreślając wyciągi bankowe Santy. – Nowego kredytu nie dostanę.

Okulary odbijały podwójnie ekran. Dwie szklane tablice, po których biegły cyfry, kojarzyły się Miriam z Mojżeszowymi tablicami przykazań. Spełniała każde, groziło jej złamanie nakazującego czcić ojca i matkę swoją. Nie posłuchać prośby matki, ojcu udowodnić grzechy.

– Rozumiem. – Miriam wolałaby zostać w swoim ciasnym jerozolimskim mieszkaniu, z zatłuszczoną od oleju kuchnią, klatką schodową przesiąkniętą rozgotowanymi warzywami. Nie widzieć obłudy Szymona, łez Hanny.

– Ze swoich mi nie pożyczysz? – Nie prosiłaby, gdyby nie pewność, że uda się jej oddać.

– Ja, informatyk, produkuję bombki, a ty, chasydka, komputery?

– Podzespoły. Uda mi się. Już mam z dziesięć wyszkolonych dziewczyn.

– Takich jak ty? Po studiach? W Polsce to się nazywa „zakład pracy chronionej", dla niepełnosprawnych. Miriam, zamiast stanąć na nogi, dobrowolnie się... – szukał określenia.

Nie byle jakiego, miało celnie dobić jej dumę.

– Inwalidyzuję się, to chciałeś powiedzieć?

– Żeby. Miriam, jesteś za mądra, za inteligentna na chasydkę. Będziesz utrzymywać Arona. Sprzątać, prać i przynosić mu do domu pieniądze. Masz swój feminizm, jerozolimskie feministki, dla odróżnienia w chustkach. O tym marzyłaś?

– Dlatego mi nie pomożesz?

– Nie mam jak.

– Gdybyś miał, wolałbyś dać na coś innego, prawda?

– Chcesz iść do nieba, proszę bardzo. – Otworzył okno. – Droga wolna – zachęcił ją, jakby uchylał przed nią drzwi. – Nie musisz się umartwiać, utrzymywać nieroba.

– Mówisz o moim mężu.

– Szymon, uspokój się! – Hanna weszła do pracowni z rękami pełnymi suchych liści.

– Mówię o wszystkich chałaciarzach do kupy, co oni robią? Nic! O nic się nie martwią! Żony za nich pracują. Oni odpoczywają. Modlą się i tracą czas. Chamuda, nie wtrącaj się!

– Ty czasu nie tracisz, tato – powiedziała z pogardą.

– Miriam! – Znała temperament swojej córki. Jej wściekłość, której nie można było niczym ukoić, jak w dzieciństwie rozdzierającego płaczu.

– Gdybym miał rodziców, odwdzięczyłbym się za wykształcenie i jeszcze im pomógł. Nie zasmucał matki, zobacz, jak ona wygląda przez ciebie, zobacz! – Zasłonił się Hanną.

– Uspokójcie się! – Rzuciła w nich suchymi liśćmi.

Słońce padało na przypiętą nad komputerem fotografię Saula w scenicznym makijażu, pluszowym cylindrze. On powiedziałby prawdę. Miriam uznała to za znak. Dla niego, za niego się nawróciła.

– Przeze mnie mama choruje?! Przez twoją polską dziwkę!

Szymon znieruchomiał.

– Proszę bardzo! – Miriam przyciągnęła do siebie klawiaturę. – Kredyt na mieszkanie, wrzesień dwa tysiące drugiego, Piaseczno, wpłaty, konto Dorota Sikorska, pięć-

set dolarów, tysiąc, mebelki. Dla mnie nie starczyło. Poro-
dówka, prywatny szpital, półtora tysiąca dolarów. Mam
brata? Kupiłeś nam Saula? – Wytarła rękawem łzy. – Powiedz coś, no powiedz!

– Szymon! – Hanna zdążyła go złapać, zanim uderzył
głową w biurko.

Ostatnia jego myśl trwała tyle co oddech. Zaczerpnię-
cie powietrza i strachu. Niepokój wibrował bólem. Zry-
wały się misterne rusztowania ustawiane kilka lat. Obry-
wały się w nim, wszystko spadało w kurz, na końcu serce.
Zapadało w ciemność, jakby ktoś zasłonił okno. A przecież Miriam je otwierała.

– Jeszcze szerzej! – wołała do niej Hanna.

Szymon leżał na zeschłych liściach, byli jesienią w par-
ku, razem. Mała, zapłakana Miriam. Stoi, nie może się
ruszyć ze strachu. Nadjeżdża Saul swoim czterokołowym
rowerkiem. Dla zabawy wjechał mu na piersi. Synku – nie
ma sił go z siebie zdjąć. Chamuda. Ona też się nad nim
pochyla, naciska żebra.

V

– Jesteś pewna? – Sara ryzykowała, pożyczając Miriam nocą łódkę. Nie nurkuje się samemu.

– Nie ufasz mi?

– Pod wodą nie ma zaufania, są przepisy. – Bała się o swój etat.

Centrum Manta w Ejlacie to dobry epizod w CV po roku bycia stewardesą El Alu. Nie chciała zostać odprawiona z opinią „nieodpowiedzialnej instruktorki". Jej wyczyny już były na granicy ryzyka. Miała ksywę „Bąbel". Wydostawała się z głębin z szybkością powietrznych bąbli, znajdując sobie najkrótszą, najbardziej ryzykowną drogę.

– Po co ci sprzęt? – Znała umiejętności Miriam. Po ciemku potrafiłaby podłączyć maskę do butli leżącej na dnie łodzi.

– Bo lubię. Daj mi godzinę.

Nie odpłynęła daleko. Domy na wzgórzach, hotele w lagunie rysowały linię brzegu. Zdjęła chustkę, długą spódnicę, sweter. Chwilę bujała się na łódce w staniku i majtkach. Zerwała je z siebie, przyschnięty strup wstydu. Pobożna kobieta nie kąpie się nago. Ktoś mógłby ją zobaczyć. Niekoszerne krewetki, langusty. Nie jadła ich od dawna. Z czosnkiem, masłem, podawanych w nadmorskich restauracjach. Nie postępowała wbrew przykazaniom i przepisom.

Zabiła nimi ojca. Zachowała się gorzej niż zwierzę. Zwierzęta czasem nie przestrzegają sztywnych przepisów instynktu. Ludzkie życie musi je przekraczać, nie da się posegregować w formułki na każdy dzień, gest i myśl.

Przyłożyła do ust maskę, zaciągnęła się tlenem. „Trzeba wiedzieć, czego się chce, czego nie chce i ile za to jesteś gotów zapłacić".

Ojca reanimowali najpierw w domu. Maska z tlenem na kredowo nieruchomej twarzy. Zanim przyjechała karetka, matka robiła mu masaż serca. Raz, dwa, trzy – odliczała rytm i wtłaczała ustami powietrze. Umarł w drodze do szpitala.

Miriam wskoczyła do czarnej wody. Po spadaniu odbicie i chwila nieważkości. Bezksiężycowa noc nad powierzchnią i w głębinie. Utrata ciężkości ciała.

Rozpuszczona w czerni pustka poprzedzająca Stworzenie, kabalistyczne *Ein sof*. Tam, skąd spływają na ziemię iskry ludzkich dusz.

Grzechy rodziców spadają na dzieci. Cudzołóstwo, śmierć. Pod wodą, gdzie był jedyny z dostępnych Miriam innych światów, czekała na pocieszenie, znak od wybaczającego ojca: „Czego chcesz i czego nie chcesz". Wstrzymała powietrze.

Musiała otworzyć oczy. Jej ręce, nogi, całe ciało otaczał zielonkawy blask. Poruszał się razem z nią. Była gwiazdozbiorem na nocnym niebie. Potarła ostrożnie palcem oblepiający ją światłoczuły plankton. Gasł powoli razem z jej wynurzaniem. Cztery, trzy, dwa – odliczała metry. Powietrze.

– W uznaniu zasług Szymona Golberga przyznano ci mieszkanie – Hanna napisała to sobie na kartce, zapamiętała w samolocie do Warszawy. Mowa pogrzebowa wygłoszona komuś, kto go kochał. Innej odmianie siebie samej. Okłamywanej z miłości. Z jej braku – Hanna nie wybaczyła sobie śmierci Szymona. Gdyby nie powiedziała Miriam...

Doktor Weiss, ratujący ją w żałobie, znalazł jedno pocieszenie:

– Hanna, Szymon nie kłamał. On nie wiedział, jaka jest prawda. Kim są jego rodzice, jego Bóg, który jest jego kraj.

– Nie obwiniam go.

– Mam nadzieję, i siebie też nie. Takie jest życie, Hanna, najważniejsze.

– Mój ojciec tak mówił.

– Mądry był.

– Stary.

Od spotkania latem Dorota się zmieniła. Straciła młodzieńczą lekkość. Tabletki uspokajające niby aplikowany od wewnątrz botoks unieruchomiły jej rysy. Siedziała sztywno na brzegu kanapy. Ściana za nią obwieszona zdjęciami Szymona. Dawid w śpioszkach, roczny Dawid stawia pierwsze kroki, idąc do niego z pieluchą między szeroko rozstawionymi nóżkami. Roześmiani we trójkę na wakacjach w górach, przeskakują fale nad morzem.

216

Dorota, Szymon i Dawid w białym garniturku na skwerze przed kościołem.

Hanna ustaliła z Guglem, o czym nie powiedzą, dla dobra jej i dziecka.

– Nie ma grobu? Nic? Tablicy? – Dorota przytuliła Dawida. Zawstydzony obcą panią schował głowę między kolana matki zakryte czarną spódnicą.

– Zginął. Tyle wiem, wybuch podłożonej bomby, zemsta. Agenci Mosadu zasługują na wdzięczność Izraela, nie na pomnik.

– Czy Szymon... zabił kogoś? – Dorota zadawała te pytania sobie samej, jeszcze gdy żył.

– Od tego jest wojna. On był bardzo dobrym człowiekiem.

– Długo razem pracowaliście?

– Znaliśmy się czterdzieści lat, więcej nie mogę ci powiedzieć. Z wykształcenia jestem lekarką, ale dla agentów Mosadu, mimo emerytury, pewne sprawy toczą się dalej. Nie wiem, czy jasno się wyraziłam, mój polski... – Powstrzymywane wzruszenie Hanny wyglądało na oschłość.

– Mówisz bardzo dobrze. Chciałabym, żeby Dawid tak mówił po hebrajsku, Szymon go trochę uczył, w zabawie. Ale jest za mały, był.

– Ba, ba. – Zerknął na Hannę, która w prezencie dała mu autko.

– Pani – poprawiła go Dorota.

– Może być baba.

– W Warszawie jest szkoła hebrajska. – Gugel ustawił zabawkę na pochyłej poręczy kanapy. – Można będzie zapisać Dawida.

– Mosad nie przyznaje renty, ale jeżeli poszedłby do

szkoły, zapłaci. Na mnie już czas. – Rozmowa z Dorotą była trudniejsza, niż przypuszczała.

Rywalka, która stała się współofiarą. W przypływie litości objęłaby ją. Pragnęła poczuć to co Szymon, w zamian. Jędrność jej ciała, ufność.

Niespodziewanie Dorota stanęła przy niej, była wyższa o głowę.

– Do widzenia. – Przylgnęła do Hanny, nie wstydząc się łez.

– Bądź dzielna, masz wspaniałego synka. – Odsunęła ją. Wzbierał w nich wspólny szloch. Hanna podobnie płakała, przytulając Miriam, bezgłośnie. Suchy płacz nie dawał ulgi.

– Dziękuję. – Gugel nie spodziewał się po niej hojności. Miała prawo wziąć odwet na Dorocie i na nim, był wspólnikiem Szymona. Pomagał ją oszukiwać.

Z kłamstwem Hanna sobie poradziła. Gorzej z pozostawioną prawdą. Zrzekła się swojej części majątku po Szymonie.

– Dla dobra dziecka – zastrzegła w długich rozmowach telefonicznych między Tel Awiwem a Warszawą.

Jedną trzecią Santy przekazała Dawidowi i Dorocie. Resztę sprzedała polskim znajomym Fishera z prośbą o zostawienie Gugla na stanowisku, przynajmniej jakiś czas.

– Dasz sobie radę, Uri nachwalić się ciebie nie może.

– Nie narzekam. – Po wycieczce jego syna dostawał coraz więcej zgłoszeń z telawiwskich liceów.

– I jeszcze jedno. – Domyślała się, na czym Guglowi najbardziej zależy. – Wierz mi. – Włożyła podany przez niego płaszcz, byli sami w przedpokoju. – Jeżeli nie masz u kobiety przekreślone, jeżeli jest mała szansa, to ją zdobędziesz. Cierpliwie się o nią starając. Pasujecie do siebie.

– Mogę? – Dorota zastukała ostrzegawczo w drzwi przedpokoju.

– Jesteś u siebie, to my... – Hanna jej otworzyła.

– Macie swoje sprawy.

– Już nie. – Podał rękawiczki, wypadły z obszernego płaszcza. – Żadnych tajemnic.

– Jestem na emeryturze, a Gugel... zrezygnował.

– Byłem pomocnikiem, nie agentem.

– Hanna, pracowałaś z Szymonem tyle lat, możesz wysłać mi jego zdjęcie? Z młodości?

– Postaram się.

– Dam ci ostatnie. – Wzruszała ją czułość, z jaką ta starsza kobieta głaskała główkę Dawida, mówiła do niego, współczując śmierci ojca.

– Mogę wybrać? – Hanna podeszła do komody.

Sięgnęła po fotografię Szymona trzymającego synka na stopach. O, tu nie pozował, był sobą – lubiła ten wyraz jego twarzy, zadowolony i trochę nieobecny. Jakby w roztargnieniu o czymś zapomniał, o sobie?

– Masz na nazwisko Golberg. – Dorota wyjęła z szuflady więcej zdjęć.

– Jest dużo Golbergów. Dlatego może zrobiono z nas parę.

– Nie masz rodziny?

– Miałam.

Hanna pożegnała Gugla i Dorotę. Wyszłyby prosto do czekającej taksówki, gdyby nie Dawid. Senny, marudził w przedpokoju. Ułożył rzędem pantofle i buty. Otrzepał rączki tym samym gestem co Szymon. Zamknęła za sobą drzwi.

W ciemności klatki schodowej osunęła się powoli po ścianie korytarza. Płacząc, skulona zbierała w sobie siły.

Dziękuję:

Małgosi Świderskiej i Jarkowi Sypniewskiemu – za letni obiad w outlecie, gdzie zażyczyli sobie tej opowieści. Michałowi Kwiecińskiemu – za zachętę. Joasi Stoecker i Michałowi Sobelmanowi – za namówienie do podróży po Izraelu. Dorit i Henrykowi Hutterom z kibucu Neot Mordechaj – za gościnę i wspomnienia.

Markowi Kondratowi za wino, kino i śmiech. Ani Włoch i Joli Kilian – za odrywanie mnie od pracy imprezami. Pani Sylwii Bartkowskiej – za odkrycie espresso z herbaty Rooibos. Terapeutce Anicie Bartnickiej – za podtrzymywanie mojej psyche. Mamie, Danusi i Dominikowi – za nienaruszone więzy rodzinne mimo odległości do Łodzi.

Sąsiadom: Beacie Siwickiej i Markowi Butrymowi, zawdzięczam opiekę nad dzieckiem i jego edukację. Ali Porazińskiej i Jackowi Malinowskiemu – dokarmianie Poli, wszystkim Zuziom z naszej wsi – bezdzietne godziny. Markowi Kellerowi jestem wdzięczna za serce i najlepszą z możliwych pracowni na Mokotowie, Beacie Misiewicz – za trwającą od lat przyjaźń i różnice w poglądach na sztukę oraz życie wieczne. W końcu dziękuję Poli i Piotrowi za niepokojącą łatwość, z jaką znosili moją nieobecność podczas pisania tej książki.